Tercer grado

Matemáticas
diarias™

Vínculos con el hogar

Tercer grado

Matemáticas diarias™

Vínculos con el hogar

The University of Chicago
School Mathematics Project

A Division of The McGraw·Hill Companies

Columbus, Ohio
Chicago, Illinois

UCSMP Elementary Materials Component

Max Bell, Director

Authors

Max Bell
Jean Bell
John Bretzlauf*
Amy Dillard*
Robert Hartfield
Andy Isaacs*
James McBride, Director
Kathleen Pitvorec*
Peter Saecker

Photo Credits

Phil Martin/Photography, Jack Demuth/Photography, Cover Credits: Sand, starfish, orange wedges, crystal/Bill Burlingham Photography, Photo Collage: Herman Adler Design

Permissions

page 125, Home Link 5.13, Ice cream cone by Jim Quinn/Chicago Tribune
page 125, Home Link 5.13, John Edwards/Tony Stone Images
page 127, Home Link 5.13, Soup can and ice cream cone by Jack Demuth/Photography

Second Edition only

www.sra4kids.com

SRA/McGraw-Hill

A Division of The McGraw·Hill Companies

Send all inquires to:
SRA/McGraw-Hill
P.O. Box 812960
Chicago, IL 60681

Printed in the United States of America

ISBN 0-07-572595-9

9 10 PO 08 07

Originales: Vínculos con el hogar

Carta a la familia

Introducción a Matemáticas diarias, Tercer grado

Bienvenido a *Matemáticas diarias, Tercer grado*. Este programa forma parte de un plan de estudios de matemáticas para la escuela elemental, desarrollado por el Proyecto de matemáticas escolares de la Universidad de Chicago. *Matemáticas diarias* proporciona a los niños y niñas una amplia base en matemáticas.

A continuación, se describen las características del programa que le ayudarán a familiarizarse con la estructura y los objetivos de *Matemáticas diarias*.

Resolución de problemas en base a situaciones de la vida cotidiana Al relacionar sus conocimientos con sus propias experiencias, tanto en la escuela como fuera de ella, los niños aprenderán las destrezas básicas de matemáticas en contextos prácticos, con lo cual las matemáticas se convierten en algo "real".

Práctica frecuente de las destrezas básicas En lugar de presentar las prácticas mediante un formato de actividades único y aburrido, los niños practicarán las destrezas básicas de forma participativa. Además de realizar las páginas diarias de repaso, de hacer patrones en la cuadrícula de números y de practicar las familias de operaciones de suma y resta con diferentes formatos, los niños practicarán juegos especialmente diseñados para desarrollar las destrezas básicas.

Enseñanza basada en el frecuente repaso de los conceptos Para fortalecer el desarrollo de las destrezas y los conceptos básicos, los niños repasarán y practicarán con regularidad conceptos y destrezas aprendidos anteriormente. Las lecciones están diseñadas para sacar provecho de conceptos y destrezas aprendidos previamente y para desarrollarlos a lo largo del año, en lugar de tratarlos como partes aisladas de conocimiento.

Un plan de estudios que explora el contenido matemático más allá de la aritmética básica Los requisitos matemáticos de Estados Unidos, así como del resto del mundo, indican que las destrezas básicas de aritmética son sólo el principio de los conocimientos matemáticos que los niños necesitarán a medida que desarrollen destrezas de razonamiento crítico. Además de la aritmética básica, *Matemáticas diarias* desarrolla conceptos y destrezas en los temas siguientes: numeración; operaciones y cálculo; exploración de datos y posibilidad; geometría; medición y marcos de referencia; y patrones, funciones y álgebra.

Matemáticas diarias, Tercer grado, enfatiza el siguiente contenido:

Numeración Patrones de conteo; valor posicional; leer y escribir números enteros hasta 1,000,000; fracciones, decimales y números enteros

Operaciones y cálculo Operaciones de multiplicación y división ampliadas a problemas con varios dígitos; trabajar con las propiedades; operaciones con fracciones y dinero

Datos y probabilidad Recopilar, organizar y exponer datos usando tablas, cuadros y gráficas

Geometría Explorar figuras bidimensionales y tridimensionales otros conceptos geométricos

Medición Registrar unidades equivalentes de longitud; reconocer unidades de medida apropiadas para varios artículos; hallar el área de rectángulos contando los recuadros

Marcos de referencia Usar matrices de multiplicación, gráficas de coordenadas, termómetros y escalas de mapas para estimar distancias

Patrones, funciones y álgebra Hallar patrones en la cuadrícula numérica; resolver rompecabezas de "Marcos y flechas" de dos reglas; completar variaciones de "¿Cuál es mi regla?"; explorar la relación entre la multiplicación y la división; usar paréntesis al escribir modelos numéricos; nombrar las partes que faltan en modelos numéricos

Matemáticas diarias le proporcionará muchas oportunidades de observar el progreso de su hijo o hija y de participar en sus experiencias matemáticas.

A lo largo del año recibirá Cartas a la familia, que le mantendrán informado del contenido matemático que estudiará su hijo o hija en cada unidad. Cada carta incluirá una lista de vocabulario, una lista de Actividades para hacer en cualquier ocasión con su hijo o hija, y una guía de respuestas para algunas de las actividades de Vínculos con el hogar (tareas).

Podrá observar que, al asociar las matemáticas con la vida cotidiana, su hijo o hija verá aumentar su comprensión y su confianza en sí mismo o sí misma.

¡Seguro que será un año emocionante!

Unidad 1: **Actividades, repaso y evaluaciones**

El primer propósito de la Unidad 1 es establecer las rutinas que usarán los niños a lo largo del año escolar. El segundo propósito consiste en repasar y ampliar conceptos matemáticos aprendidos en grados anteriores.

En la Unidad 1 los niños buscarán ejemplos de números para el "Museo de números por todas partes" que pueden ser: números de identificación, medidas, dinero, números de teléfono, direcciones y códigos. Los niños también verán patrones numéricos en el contexto de la resolución de problemas, usando rompecabezas de cuadrículas de números y diagramas de "Marcos y flechas". (Ver ejemplos en la página siguiente.)

A lo largo de la Unidad 1, los niños usarán números en el contexto de situaciones de la vida real. Después de repasar los conceptos de valor posicional, ellos trabajarán con dinero y simularán que compran artículos de una máquina expendedora y de una tienda. El énfasis puesto en aplicar números a la vida real también se refleja en el proyecto anual "Duración del día", una rutina semanal que implica recopilar, registrar e introducir en una gráfica, datos sobre la salida y la puesta del sol.

Vocabulario

Términos importantes de la Unidad 1:

caja de coleccionar nombres Un diagrama con forma de caja que contiene un número y que se usa para recopilar nombres equivalentes de ese número.

300

trescientos	310 − 10
150 + 150	260 + 40
	300 − 0

cuadrícula de números Una tabla donde los números están dispuestos en orden consecutivo, normalmente en hileras de 10. Al pasar de un número al siguiente a lo largo de la hilera, el cambio es de 1; al pasar de un número al siguiente a lo largo de la columna, el cambio es de 10.

									0
1	2	3	4	5	6	7	8	9	10
11	12	13	14	15	16	17	18	19	20
21	22	23	24	25	26	27	28	29	30

dígitos Los símbolos del 0 al 9 que se usan, a veces en conjunción con otros símbolos, para anotar cualquier número de nuestro sistema numérico.

equipos de herramientas Bolsas con cremallera o cajas que se usan individualmente en clase. Contienen reglas, dinero de juguete y tarjetas con números para ayudar a los niños a comprender las ideas matemáticas.

estimación El cálculo de una respuesta aproximada, no exacta.

Marcos y flechas Diagramas que se usan para representar secuencias numéricas o series de números que se ordenan de acuerdo a una regla. Estos diagramas para la resolución de problemas

consisten en marcos conectados por flechas que indican el camino de un marco al otro. Cada marco contiene un número de la secuencia; cada flecha representa una regla que determina el número que va en el siguiente marco.

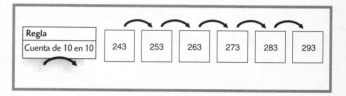

Regla
Cuenta de 10 en 10

243 → 253 → 263 → 273 → 283 → 293

moda El valor que se repite con más frecuencia en una serie de datos. En la serie de datos de arriba, 35 es la moda.

rango La diferencia entre el número mayor y el menor en una serie de datos. En la siguiente serie de datos, 9 es el rango (41 − 32 = 9).

32   33   35   35   36   40   41

rompecabezas de cuadrícula de números Una parte de la cuadrícula en que faltan algunos números pero no todos. Los rompecabezas de cuadrículas de números se usan para reforzar los conceptos de valor posicional.

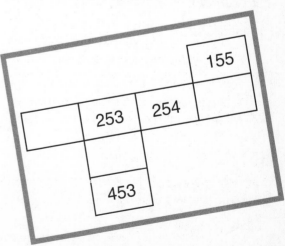

Cuando ayude a su hijo o hija a hacer la tarea

Cuando su hijo o hija traiga tareas a casa, lean juntos y clarifiquen las instrucciones cuando sea necesario. Las siguientes respuestas le servirán de guía para usar los Vínculos con el hogar de esta unidad.

Vínculo con el hogar 1.2

2. 000800 **3.** 000810 **4.** 000910

5. 001910 **6.** 1,111 millas

Vínculo con el hogar 1.3

Respuestas posibles:

1. ②,4̶0̶0 **2.** 2,560 **3.** 2,450

4. 100 **5.** 299 **6.** 990 **7.** 4,900

Vínculo con el hogar 1.4

2. 8:00 **3.** 3:30 **4.** 6:15 **5.** 11:45

6. 7:10 **7.** 5:40

Vínculo con el hogar 1.5

1.

Tiempo que vieron la TV	
Horas	Niños
0	/
1	//
2	//
3	////
4	/
5	/

2. 0 **3.** 5 **4.** 5 **5.** 3

Vínculo con el hogar 1.6

1. **18** *Respuestas posibles:*

10 + 5 + 3	*el doble de 9*
9 − 1 + 10	*dieciocho*
20 − 2	*10 menos que 28*
~HHT HHT HHT~ ///	9 + 9

2. **12**

~HHT HHT~	una docena
7 + 5	meses en 1 año
15 − 3	10 + 2
18 ✗ 4	9 ✗ 3

Vínculo con el hogar 1.7

2. 154; 23 **3.** 148; 29 **4.** 169; 29

5. 22 **6.** 28

Vínculo con el hogar 1.11

1.

Regla +3¢

12¢ | 15¢ | 18¢ | 21¢ | 24¢ | 27¢

2.

Regla −100

1,000 | 900 | 800 | 700 | 600 | 500

4. $1.46 **5.** $0.87 **6.** $12.06

Vínculo con el hogar 1.12

1. a.  **b.**

2. a.  **b.**

3. a.  **b.**

4. 1 hora con 35 min

Museo de números por todas partes

Nota a la familia

En el programa *Matemáticas diarias, Tercer grado*, los niños "hacen matemáticas". Esperamos que los niños compartan con sus familias el entusiasmo por las actividades de matemáticas que harán en la escuela. Su hijo o hija llevará tareas y actividades para hacer en casa a lo largo del año. Estas tareas llamadas Vínculos con el hogar, pueden identificarse por el símbolo que aparece en la parte superior de la página. No lleva mucho tiempo hacer estas tareas pero la mayoría de ellas requieren interacción con un adulto o con un niño o niña mayor.

Hay buenas razones para incluir Vínculos con el hogar en el programa de tercer grado:

· Las tareas motivan a los niños a tomar la iniciativa y a responsabilizarse por terminarlas. Su apoyo y estímulo ayuda a su hijo o hija a desarrollar su independencia y confianza en sí mismo.

· Los Vínculos con el hogar refuerzan destrezas y conceptos recién aprendidos y proporcionan la oportunidad de pensar y practicar al ritmo de cada niño o niña.

· Muchas de las tareas están diseñadas para que el niño o niña relacione lo que hace dentro y fuera de la escuela. Esto les ayuda a asociar las matemáticas con el mundo real, lo cual constituye una parte muy importante del programa *Matemáticas diarias.*

· Las tareas de Vínculos con el hogar le darán una idea clara de las matemáticas que su hijo o hija aprende en la escuela.

Puede ayudar a su hijo o hija respondiendo a sus preguntas y comentarios acerca de las matemáticas, relacionando números con el mundo real y señalando maneras en que se pueden usar dichos números (la hora, canales de televisión, números de página, números de teléfono, rutas de autobús, etc.).

Matemáticas diarias apoya la creencia de que los niños que tienen a alguien con quien practicar matemáticas, aprenderán matemáticas, lo que constata el concepto de que "los niños a quienes que se lee, leen". Los juegos que implican contar y pensar ayudan en gran medida a promover dicho aprendizaje.

La Nota a la familia le explicará lo que están aprendiendo los niños en clase. Úsela para relacionar la tarea con el proceso de aprendizaje de su hijo o hija.

Museo de números por todas partes, *cont.*

Nota a la familia

Los números que aparecen en los anuncios muestran cantidades y precios (3 latas de sopa por $1.00); los recipientes de comida muestran peso o capacidad (una lata de frijoles negros de $15\frac{1}{2}$ onzas o un cartón de leche de 1 cuarto de galón); y las guías de teléfonos muestran direcciones y números de teléfono. Ayudar a su hijo o hija a encontrar ejemplos de números en la vida diaria, reforzará la idea de que los números nos rodean por todas partes y de que se usan por muy diversas razones. Ayude a su hijo o hija a reconocer números completando la tabla.

Por favor, devuelva este Vínculo con el hogar a la escuela en los próximos días.

Halla tantos tipos de números como puedas. Anota los números en la tabla de abajo. Asegúrate de incluir la unidad de medida si existe.

Número	Unidad (si existe)	Dónde encontraste el número
Ejemplo: *14*	*oz*	*caja de cereal*

Halla objetos o dibujos con números y tráelos a clase. Primero, muéstralos a un adulto en casa. No traigas nada de valor.

Lectura del odómetro

Nota a la familia

El *odómetro* es un instrumento que mide la distancia recorrida por un vehículo. Les pedimos a los niños que observen un odómetro porque es importante que vean las matemáticas aplicadas al mundo real. Los problemas sobre odómetros que aparecen a continuación, muestran qué ocurre con los dígitos de un número cuando dicho número se incrementa en 1, en 10, en 100 y en 1,000.

Algunos odómetros muestran décimas de milla. Comente el hecho de que el dígito de las décimas muestra fracciones de milla y que cambia con relativa rapidez.

Por favor, devuelva este Vínculo con el hogar a la escuela mañana.

1. Pide a alguien en casa que te explique qué es un odómetro. Si tu familia tiene carro, haz un dibujo del odómetro en el reverso de esta página. Muestra el número de millas que ha recorrido el carro.

En cada problema, escribe la respuesta en el odómetro.

2. El odómetro de Jackie indica 799 millas.

0	0	0	7	9	9

Jackie recorre una milla en un trayecto corto. ¿Qué indica su odómetro al final del trayecto?

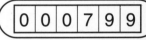

3. Ahora Jackie recorre 10 millas en un viaje. ¿Qué indica el odómetro al final del viaje?

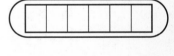

4. Después, Jackie recorre 100 millas en un viaje. ¿Qué indica el odómetro al final de ese viaje?

5. Jackie recorre 1,000 millas en un viaje largo. ¿Qué indica el odómetro al final de este viaje?

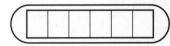

Destácate

6. ¿Qué distancia recorrió Jackie en total en los cuatro viajes?

_____ millas

En el reverso de esta página, explica o muestra cómo obtuviste la respuesta.

Practica el valor posicional

Nota a la familia

En la última lección, los niños aprendieron a usar una cuadrícula de números y a resolver rompecabezas de cuadrículas de números. Los problemas de la sección Destácate ofrecen a los niños práctica adicional sobre lo que han aprendido. Para más información acerca de cuadrículas de números y rompecabezas de cuadrículas de números, vea las páginas 6–9 del *Libro de consulta del estudiante*.

Por favor, devuelva este Vínculo con el hogar a la escuela mañana.

1. Pide a alguien en casa que te diga un número de 4 dígitos.

   a. Escribe el número. _____

   b. Encierra en un círculo la posición de los millares.

   c. Marca con una X la posición de las decenas.

   d. Subraya la posición de las unidades.

2. Escribe el número que sea 100 unidades mayor que el número del Problema 1. _____

3. Escribe el número que sea 10 unidades menor que el número del Problema 1. _____

Resuelve.

4. 99 + 1 = _____   **5.** 300 − 1 = _____

6. 1,000 − 10 = _____   **7.** 5,000 − 100 = _____

Destácate

8.
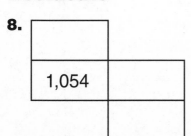

1,054

9.
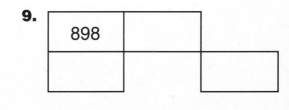

898

Decir la hora

**Nota a la
familia**

Hoy hablamos sobre algunas de las herramientas que se usan en matemáticas. Repasamos cómo usar una regla a la pulgada y al centímetro más cercano, y cómo leer la carátula de un reloj para decir la hora a la media hora más cercana, al cuarto de hora y a los 5 minutos más cercanos. Ayude a su hijo o hija a leer y escribir cada hora.

Por favor, devuelva este Vínculo con el hogar a la escuela mañana.

1. Dibuja la manecilla de la hora y la de los minutos para mostrar la hora actual. Escribe la hora.

_____ : _____

Escribe la hora que indican los relojes.

2.

_____ : _____

3.

_____ : _____

4.

_____ : _____

5.

_____ : _____

6.

_____ : _____

7.

_____ : _____

8. Muestra a alguien en casa cómo resolviste el problema más difícil de esta página.

¿Cuánto tiempo vieron la TV?

Nota a la familia

Puede encontrar información sobre tablas de conteo en las páginas 70–72 del *Libro de consulta del estudiante.* Puede encontrar información sobre el mínimo, el máximo, el rango y la moda de una serie de datos, en las páginas 73 y 75.

Por favor, devuelva este Vínculo con el hogar a la escuela mañana.

LCE
70–72
73 75

Paul preguntó a sus compañeros de clase cuántas horas vieron la TV ayer. Ellos dijeron que la vieron por el siguiente número de horas:

1 hora	3 horas	1 hora	5 horas	0 horas	2 horas
4 horas	3 horas	2 horas	3 horas	3 horas	

1. Haz una tabla de conteo con los datos.

Tiempo que vieron la TV	
Horas	**Niños**

2. ¿Cuál fue el menor (mínimo) número de horas? _____ horas

3. ¿Cuál fue el mayor (máximo) número de horas? _____ horas

4. ¿Cuál es el rango de los datos? _____ horas (Recuerda que el *rango* es la diferencia entre el número mayor y el menor.)

5. ¿Cuál es la moda de los datos? _____ horas

6. ¿Cuántas horas al día ves la televisión? _____ horas

Cajas de coleccionar nombres

Nota a la familia

Puede encontrar una explicación sobre las cajas de coleccionar nombres en las páginas 14 y 15 del *Libro de consulta del estudiante*.

Por favor, devuelva este Vínculo con el hogar a la escuela mañana.

1. Escribe por lo menos 10 nombres para el número 18 en la caja de coleccionar nombres. Luego, explica a alguien de tu casa cómo funciona la caja. Pídele a esa persona que añada otro nombre para el 18.

> 18

2. Tres de los nombres no pertenecen a esta caja. Táchalos. Después, escribe el nombre de la caja en la casilla.

> ~~||||| ||||~~   una docena
>
> $7 + 5$ meses en 1 año
>
> $15 - 3$ $10 + 2$
>
> $18 - 4$ $9 - 3$

3. Inventa un problema parecido al problema 2. Elige un nombre para la caja, pero no lo escribas en la casilla. Escribe 4 nombres para el número y 2 nombres que no sean nombres para el número.

Para comprobar si el problema tiene sentido, pide a alguien de tu casa que te diga cuáles son los 2 nombres que no pertenecen a la caja. Pide a esa persona que escriba el nombre de la caja en la casilla.

© 2002 Everyday Learning Corporation

Hallar la diferencia

Nota a la familia

No se espera que su hijo o hija sepa usar un método tradicional de resta para resolver estos problemas. Los métodos formales se cubrirán en la siguiente unidad. Puede encontrar una explicación sobre cómo hallar diferencias en una cuadrícula de números en la página 8 del *Libro de consulta del estudiante*.

Por favor, devuelva este Vínculo con el hogar a la escuela mañana.

1. Completa la siguiente cuadrícula con los números que faltan.

	132								
									150
		154							
				177					

Usa la cuadrícula de arriba como ayuda para contestar las siguientes preguntas.

2. ¿Cuál es mayor: 154 ó 131? _____   ¿Cuánto más? _____

3. ¿Cuál es menor: 177 ó 148? _____   ¿Cuánto menos? _____

4. ¿Cuál es mayor: 140 ó 169? _____   ¿Cuánto más? _____

5. La diferencia entre 180 y 158 es _____.

6. La diferencia entre 170 y 142 es _____.

Destácate

7. Explica cómo hallaste la respuesta al problema 5.

_____

_____

Números grandes y pequeños

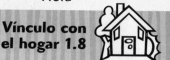

Nota a la familia

En esta lección, hemos repasado los conceptos de valor posicional usando números grandes y pequeños. Para más información sobre el valor posicional, vea las páginas 18 y 19 del *Libro de consulta del estudiante*.

Por favor, devuelva este Vínculo con el hogar a la escuela mañana.

Necesitarás un dado o una baraja de cartas numeradas del 0 al 9.

1. Tira el dado 4 veces (o saca 4 cartas).

   a. Anota el dígito de cada tirada (o carta) en un espacio en blanco.

   _____ _____ _____ _____

   b. Forma el número más grande que puedas usando esos 4 dígitos.

   _____ , _____ _____ _____

   c. Forma el número más pequeño que puedas usando esos 4 dígitos. El número no puede empezar por cero.

   _____ , _____ _____ _____

   d. Suma los dos números con una calculadora. _____

   e. Halla la diferencia entre los dos números. _____

2. Tira el dado 5 veces (o saca 5 cartas).

   a. Anota el dígito de cada tirada (o carta) en un espacio en blanco.

   _____ _____ _____ _____ _____

   b. Forma el número más grande que puedas usando esos 5 dígitos.

   _____ _____ , _____ _____ _____

   c. Forma el número más pequeño que puedas usando esos 5 dígitos. El número no puede empezar por cero.

   _____ _____ , _____ _____ _____

   d. Suma los dos números con una calculadora. _____

   e. Halla la diferencia entre los dos números. _____

A la caza del anuncio

Nota a la familia

Los niños han practicado la notación de dólares y centavos. Ayude a su hijo o hija a encontrar anuncios que muestren precios con claridad.

Por favor, devuelva este Vínculo con el hogar a la escuela mañana.

1. Recorta cuatro anuncios pequeños de revistas y periódicos. Cada anuncio debe mostrar el precio de un artículo.

2. Pon los anuncios en orden, del artículo menos caro al más caro.

3. Pega los cuatro anuncios en orden en esta página, con cinta adhesiva o pegamento.

4. Trae más anuncios a la escuela para agregarlos al Museo de números por todas partes.

De compras en el periódico

Nota a la familia

En esta actividad, su hijo o hija comprará por lo menos 5 artículos diferentes con $100. Si sobra dinero, podrá comprar algo más. Si compra algo en cantidad (por ejemplo, 4 discos compactos), deberá anotar cada artículo y precio en una línea diferente.

Por favor, devuelva este Vínculo con el hogar a la escuela mañana.

Imagina que tienes $100 para gastar. Pide a alguien en casa que te ayude a encontrar anuncios de por lo menos 5 artículos diferentes que puedas comprar. Escribe el nombre de cada artículo y su precio en la siguiente tabla. NO CALCULES el total. Estímalo. No hace falta que gastes exactamente $100.

Artículo	Precio

Explica a alguien en casa cómo estimaste el total.

Marcos y flechas

Nota a la familia

Puede encontrar información sobre diagramas de Marcos y flechas en las páginas 176 y 177 del *Libro de consulta del estudiante*.

Por favor, devuelva este Vínculo con el hogar a la escuela mañana.

Enseña a alguien en casa cómo completar estos diagramas de Marcos y flechas.

1.

Regla

+3¢

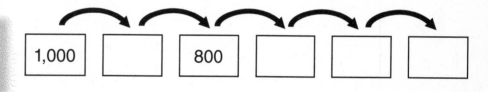

12¢   24¢

2.

Regla

−100

1,000   800

3.

Regla

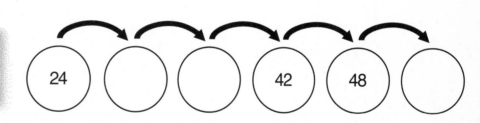

24   42   48

Repaso

Escribe cada cantidad en notación de dólares y centavos.

4. $1 Ⓠ Ⓓ Ⓝ Ⓝ Ⓟ = $_____

5. Ⓓ Ⓓ Ⓠ Ⓝ Ⓟ Ⓓ Ⓠ Ⓟ = $_____

6. $10 $1 $1 Ⓝ Ⓟ = $_____

7. Dibuja monedas que muestren $0.89 por lo menos de dos maneras diferentes.

_____

Practicar la hora

Nota a la familia

En esta lección, su hijo o hija ha aprendido acerca del tiempo transcurrido.

Por favor, devuelva este Vínculo con el hogar a la escuela mañana.

Imagina que estás poniendo tu reloj en hora. Dibuja la manecilla de la hora y la de los minutos en la carátula del reloj para mostrar la hora.

1. a. Muestra las 6 menos cuarto.

b. Muestra 2 horas y 15 minutos después.

2. a. Muestra las 8 y media.

b. Muestra 4 horas y 20 minutos antes.

3. a. Muestra las 11 y 25.

b. Muestra 3 horas y 40 minutos después.

4. Hilary y Jack empezaron a trabajar en un collage a las 4:35. Lo terminaron a las 6:10. ¿Cuánto tiempo tardaron en hacerlo? _____

Usar con la lección 1.12

Carta a la familia

Unidad 2: Sumar y restar números enteros

La Unidad 2 se concentra en la suma y resta de números enteros y enfatiza las estrategias de resolución de problemas y destrezas de cálculo. En *Matemáticas diarias, Segundo grado*, los niños usaron atajos, familias de operaciones, Triángulos de operaciones y juegos como ayuda para aprender las operaciones básicas de suma y resta. Esos métodos se seguirán usando en el tercer grado. Conocer las operaciones básicas y sus extensiones es ventajoso. Saber que $6 + 8 = 14$, por ejemplo, ayuda a resolver problemas como $56 + 8 = ?$ y $60 + 80 = ?$. Más adelante, saber que $5 \times 6 = 30$ ayudará a resolver $5 \times 60 = ?$, $50 \times 60 = ?$ y así sucesivamente.

En la Unidad 2, los niños aprenderán nuevos métodos para resolver problemas de suma y resta. *Matemáticas diarias* motiva a los niños a que elijan entre esos métodos o a que inventen sus propios métodos de cálculo. Cuando los niños inventan y comparten sus propias formas de hacer operaciones, en lugar de aprender un método único, empiezan a darse cuenta de que cualquier problema puede resolverse de más de una manera. Están más dispuestos y son más capaces de arriesgarse, pensar lógicamente y razonar analíticamente.

Blair Chewning, una maestra de Richmond, Virginia, les dio este problema a sus alumnos de Matemáticas diarias para que lo resolvieran. Aquí aparecen sólo algunas de las estrategias que usaron sus alumnos.

Jill necesita ganar $45 para ir de excursión con su clase. Gana $2 al día los lunes, martes y miércoles. Gana $3 al día los jueves, viernes y sábados. No trabaja los domingos. ¿En cuántas semanas ganará $45?

Por último, la Unidad 2 presenta el Proyecto de temperaturas nacionales altas y bajas, el cual durará todo el año. Los niños calcularán, anotarán y registrarán en gráficas las diferencias de temperaturas en las ciudades de todos los Estados Unidos.

Usar con la lección 1.13

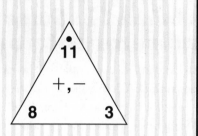

Herramientas matemáticas

Su hijo usará **Triángulos de operaciones** para practicar y repasar las operaciones de suma y resta. Los Triángulos de operaciones son una versión "nueva y mejorada" de las tarjetas de práctica; las operaciones de suma y resta mostradas se han formado con los mismos tres números, lo cual ayudará a su hijo o hija a entender las relaciones entre dichas operaciones.

Vocabulario

Términos importantes de la Unidad 2:

diagrama de cambio Un diagrama usado para representar problemas de suma y resta en que se aumenta o disminuye una cantidad dada. El diagrama incluye la cantidad inicial, la cantidad final y la cantidad de cambio.

Por ejemplo, el diagrama de cambio mostrado representa este problema de resta: *Rita tenía $28 en su monedero. Gastó $12 en la tienda. ¿Cuánto dinero hay ahora en el monedero de Rita?*

Inicio	Cambio	Final
28	−12	16

diagrama de comparación Un diagrama usado para representar problemas en los que se dan dos cantidades que luego se comparan para hallar cuánto más o menos es una cantidad que la otra.

Por ejemplo, el diagrama de comparación mostrado representa este problema: *34 niños van a la escuela en autobús. 12 niños van a la escuela a pie. ¿Cuántos niños más van en autobús?*

Cantidad	
34	

Cantidad	Diferencia
12	22

diagrama de las partes y el total Un diagrama usado para representar problemas en que se combinan dos o más cantidades para formar una cantidad total. Se usa cuando se conocen las partes y se desconoce el total. También se usa cuando se conoce el total y una o más partes, pero se desconoce una parte.

Por ejemplo, el diagrama de las partes y el total mostrado representa esta historia de números: *Leo horneó 24 galletas. Nina horneó 26 galletas. ¿Cuántas galletas hornearon en total?*

Total	
50	

Parte	Parte
24	26

familia de números Un grupo de oraciones de suma y resta o de oraciones de multiplicación y división, formadas con los mismos tres números de varios dígitos.

$$221 + 229 = 450 \qquad 450 - 221 = 229$$
$$229 + 221 = 450 \qquad 450 - 229 = 221$$

familia de operaciones Un grupo de operaciones de suma y resta o de operaciones de multiplicación y división relacionadas entre sí, que se forman con los mismos números.

$$3 + 8 = 11$$
$$8 + 3 = 11$$
$$11 - 3 = 8$$
$$11 - 8 = 3$$

máquina de funciones Una máquina imaginaria que procesa números según una regla determinada. Un número (origen) se introduce en la máquina y se transforma en un segundo número (resultado) al aplicarle la regla.

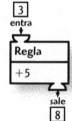

modelo numérico Una oración numérica que muestra cómo se relacionan las partes de una historia de números. Por ejemplo, 5 + 8 = 13 muestra cómo se relacionan las partes de esta historia de números: *Hay 5 niños patinando y 8 niños jugando al balón. ¿Cuántos niños hay en total?*

tabla "¿Cuál es mi regla?" Una lista de pares de números en la que los números de cada par se relacionan entre sí de acuerdo con la misma regla. A veces se da la regla y un número de cada par para hallar el otro número. Otras veces se dan los pares para hallar la regla.

entra	sale
3	8
5	10
8	13
10	15
16	21

Usar con la lección 1.13

Actividades para hacer en cualquier ocasión

Para trabajar con su hijo o hija sobre los conceptos aprendidos en esta unidad y en las anteriores, hagan juntos estas interesantes y provechosas actividades:

1 Repasen las operaciones de suma y resta. Haga Triángulos de operaciones +,− de las operaciones que su hijo o hija necesite practicar.

2 Practiquen operaciones ampliadas de suma y resta. *Por ejemplo:*

$6 + 7 = 13$	$13 - 7 = 6$
$60 + 70 = 130$	$23 - 7 = 16$
$600 + 700 = 1,300$	$83 - 7 = 76$

3 Cuando su hijo o hija sume o reste números de varios dígitos, hablen sobre la mejor estrategia. Trate de no imponer la estrategia que le parezca mejor a usted. Aquí se dan algunos problemas para practicar:

$267 + 743 =$ _____

$794 - 554 =$ _____

_____ $= 851 + 697$

$840 - 694 =$ _____

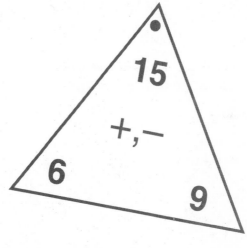

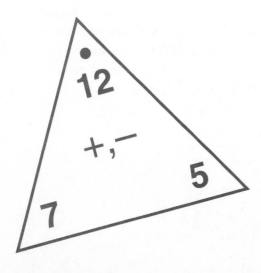

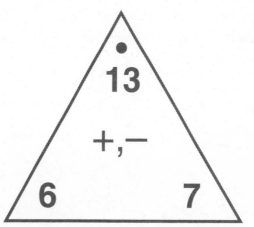

Usar con la lección 1.13

Cuando ayude a su hijo o hija a hacer las tareas

Cuando su hijo o hija traiga tarea a casa, lean juntos y clarifiquen las instrucciones cuando sea necesario. Las siguientes respuestas le servirán de guía para usar los Vínculos con el hogar de esta unidad.

Vínculo con el hogar 2.1

1. $9 + 6 = 15$; $6 + 9 = 15$; $15 - 9 = 6$; $15 - 6 = 9$

2. $25 + 50 = 75$; $50 + 25 = 75$; $75 - 25 = 50$; $75 - 50 = 25$

Vínculo con el hogar 2.2

1. 16; 26; 76; 106

2. 12; 22; 62; 282

3. 8; 28; 58; 98

4. 5; 15; 115; 475

5. 13; 130; 1,300; 13,000

Vínculo con el hogar 2.3

1.

entra	sale
14	7
7	0
12	5
15	8
10	3
21	14

2.

entra	sale
7	16
9	18
37	46
77	86
49	58

Las respuestas variarán.

3.

entra
↓
Regla
Suma 30
↓
sale

entra	sale
70	100
20	50
30	60
90	120
50	80

Las respuestas variarán.

Vínculo con el hogar 2.4

1. 55 minutos; $25 + 30 = 55$

2. 39 conchas; $23 + 16 = 39$

3. 700 latas; $300 + 400 = 700$

Vínculo con el hogar 2.5

1. $9; $25 - 16 = 9$ ó $16 + 9 = 25$

2. $49; $35 + 14 = 49$

Vínculo con el hogar 2.6

1. $30; $43 - 13 = 30$ ó $13 + 30 = 43$

2. 9 días; $28 - 19 = 9$ ó $19 + 9 = 28$

3. 15 niños; $40 - 25 = 15$

Vínculo con el hogar 2.7

1. 337

2. 339

3. 562

4. 574

5. 627

6. 1,214

Vínculo con el hogar 2.8

1. 202

2. 122

3. 206

4. 439

5. 487

Vínculo con el hogar 2.9

1. 38

2. 213

3. 40

4. 70

5. 915

6. 55

7. 19

Usar con la lección 1.13

Familias de operaciones y familias de números

Nota a la familia

Practique con su hijo o hija las familias de operaciones y de números, concentrándose en operaciones de suma y resta relacionadas. Por ejemplo: $7 + 5 = 12$, $5 + 7 = 12$, $12 - 7 = 5$ y $12 - 5 = 7$.

Por favor, devuelva este Vínculo con el hogar a la escuela mañana.

Muéstrale a alguien cómo usar un Triángulo de operaciones.

1. Escribe la familia de operaciones para 9, 6 y 15.
   Escribe dos operaciones de suma y dos de resta.

   _____   _____

   _____   _____

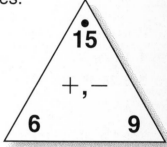

2. Escribe la familia de números para 25, 50 y 75.

   _____   _____

   _____   _____

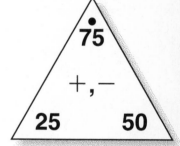

Crea una familia de operaciones y una familia de números. Escríbelas abajo.

3. _____   _____

   _____   _____

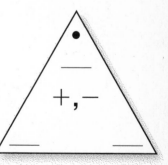

4. _____   _____

   _____   _____

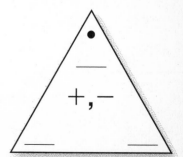

Extensiones de operaciones de suma y resta

Nota a la familia

Conocer las operaciones básicas, como $6 + 7 = 13$, ayuda a resolver problemas similares con números más grandes, como $60 + 70 = 130$. Ayude a su hijo o hija a hallar otras extensiones de operaciones para completar este Vínculo con el hogar.

Por favor, devuelva este Vínculo con el hogar a la escuela mañana.

Escribe la respuesta a cada problema.

1. Ya sé que:

$$\begin{array}{r} 9 \\ + 7 \\ \hline \end{array}$$

Eso me ayuda a saber que:

$$\begin{array}{r} 19 \\ + 7 \\ \hline \end{array} \qquad \begin{array}{r} 69 \\ + 7 \\ \hline \end{array} \qquad \begin{array}{r} 99 \\ + 7 \\ \hline \end{array}$$

2. Ya sé que:

$$\begin{array}{r} 8 \\ + 4 \\ \hline \end{array}$$

Eso me ayuda a saber que:

$$\begin{array}{r} 18 \\ + 4 \\ \hline \end{array} \qquad \begin{array}{r} 58 \\ + 4 \\ \hline \end{array} \qquad \begin{array}{r} 278 \\ + 4 \\ \hline \end{array}$$

3. Ya sé que:

$$\begin{array}{r} 15 \\ - 7 \\ \hline \end{array}$$

Eso me ayuda a saber que:

$$\begin{array}{r} 35 \\ - 7 \\ \hline \end{array} \qquad \begin{array}{r} 65 \\ - 7 \\ \hline \end{array} \qquad \begin{array}{r} 105 \\ - 7 \\ \hline \end{array}$$

4. Ya sé que:

$$\begin{array}{r} 13 \\ - 8 \\ \hline \end{array}$$

Eso me ayuda a saber que:

$$\begin{array}{r} 23 \\ - 8 \\ \hline \end{array} \qquad \begin{array}{r} 123 \\ - 8 \\ \hline \end{array} \qquad \begin{array}{r} 483 \\ - 8 \\ \hline \end{array}$$

5. Ya sé que:

$$\begin{array}{r} 6 \\ + 7 \\ \hline \end{array}$$

Eso me ayuda a saber que:

$$\begin{array}{r} 60 \\ + 70 \\ \hline \end{array} \qquad \begin{array}{r} 600 \\ + 700 \\ \hline \end{array} \qquad \begin{array}{r} 6,000 \\ + 7,000 \\ \hline \end{array}$$

Crea otro grupo de extensiones de operaciones.

6. Ya sé que:

Eso me ayuda a saber que:

"¿Cuál es mi regla?"

Nota a la familia

Para una explicación más detallada sobre la máquina de funciones y sobre la tabla "¿Cuál es mi regla?", vea las páginas 178 a 180 del *Libro de consulta del estudiante*. Ayude a su hijo o hija a completar las partes que faltan en estos problemas.

Por favor, devuelva este Vínculo con el hogar a la escuela mañana.

Practica las operaciones y extensiones de operaciones. Completa los problemas de "¿Cuál es mi regla?". Usa la última tabla para crear tus propios problemas.

1. entra

Regla

Resta 7

sale

entra	sale
14	
	0
12	
	8
	3
21	

2. entra

Regla

Suma 9

sale

entra	sale
7	
	18
37	
	86
49	

3. entra

Regla

sale

entra	sale
70	100
20	
	60
90	120
50	

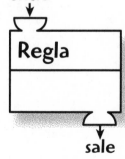

4. entra

Regla

sale

entra	sale

Historias de las partes y el total

Nota a la familia

Hoy su hijo o hija aprendió acerca de un diagrama que ayuda a organizar la información de una historia de números. Lo llamamos *diagrama de las partes y el total*. Para más información, vea las páginas 188 y 189 del *Libro de consulta del estudiante*.

Por favor, devuelva este Vínculo con el hogar a la escuela mañana.

Para cada problema, escribe los números que ya conoces en el diagrama de las partes y el total. Escribe ? para el número que quieres averiguar. Luego, resuelve el problema. Escribe la respuesta y un modelo numérico. Explica a alguien en casa cómo sabes que tus respuestas son lógicas.

1. Marisa leyó su libro durante 25 minutos el lunes y durante 30 minutos el martes. ¿Cuántos minutos leyó en total?

Respuesta: _____
(unidad)

Modelo numérico: _____

Total	
Parte	**Parte**

2. Liz tiene 23 caracoles en su colección y Chris tiene 16. ¿Cuántos caracoles tienen en total?

Respuesta: _____
(unidad)

Modelo numérico: _____

Total	
Parte	**Parte**

3. Los alumnos de segundo grado recogieron 300 latas para reciclar. Los de tercer grado recogieron 400 latas. ¿Cuántas latas se recogieron en total?

Respuesta: _____
(unidad)

Modelo numérico: _____

Total	
Parte	**Parte**

Historias de cambio

Nota a la familia

Hoy su hijo o hija aprendió acerca de otro diagrama que ayuda a organizar la información de una historia de números. Se llama *diagrama de cambio*. Para más información, vea las páginas 186 y 187 del *Libro de consulta del estudiante*.

Por favor, devuelva este Vínculo con el hogar a la escuela mañana.

Para cada historia de números, escribe los números que ya conoces en el diagrama de cambio. Escribe ? para el número que quieres averiguar. Luego, resuelve el problema. Escribe la respuesta y un modelo numérico.

Además, explica a alguien en casa cómo sabes que tus respuestas son lógicas.

1. Marco tenía $25 en su billetera. Gastó $16 en la tienda. ¿Cuánto dinero le quedó en su billetera?

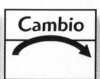

Respuesta: _____
                              (unidad)

Modelo numérico: _____

2. Jazmín tenía $35. Ganó $14 cortando césped. ¿Cuánto dinero tiene ahora?

Respuesta: _____
                              (unidad)

Modelo numérico: _____

3. Crea tu propia historia de números, de cambio a más o de cambio a menos.

_____

_____

Respuesta: _____
                              (unidad)

Modelo numérico: _____

Historias de comparación

Nota a la familia

Hoy su hijo o hija aprendió acerca del *diagrama de comparación*. Éste ayuda a organizar los datos de una historia de números. Para más información, vea la página 190 del *Libro de consulta del estudiante*.

Por favor, devuelva este Vínculo con el hogar a la escuela mañana.

Escribe los números que ya conoces en el diagrama. Escribe ? para el número que quieres averiguar. Luego, resuélvelo. Escribe la respuesta y un modelo numérico. Explica a alguien en casa cómo sabes que tus respuestas son lógicas.

1. Juana tiene $43. Su hermano tiene $13. ¿Cuánto dinero más tiene Juana?

Respuesta: _____
                              (unidad)

Modelo numérico: _____

Cantidad	

Cantidad	Diferencia

2. Faltan 28 días para el cumpleaños de Pat y 19 días para el de José. ¿Cuántos días más tiene que esperar Pat?

Respuesta: _____
                              (unidad)

Modelo numérico: _____

Cantidad	

Cantidad	Diferencia

3. Hay 25 niños en el club el fútbol y 40 niños en el de ciencias. ¿Cuántos niños menos hay en el club de fútbol?

Respuesta: _____
                              (unidad)

Modelo numérico: _____

Cantidad	

Cantidad	Diferencia

Suma: El método de sumas parciales

Vínculo con el hogar 2.7

Nota a la familia

Hoy su hijo o hija aprendió a sumar dos números de 3 dígitos usando un procedimiento llamado *método de sumas parciales*. Su hijo o hija puede optar entre este método o un procedimiento distinto. Para más información, vea las páginas 51 y 52 del *Libro de consulta del estudiante*.

Por favor, devuelva este Vínculo con el hogar a la escuela mañana.

Resuelve cada problema de suma. Quizá quieras usar el método de sumas parciales. Haz una estimación aproximada para comprobar si tu respuesta es lógica. Escribe un modelo numérico para mostrar tu estimación.

1.	2.	3.
centenas decenas unidades 2 4 5 + 9 2	124 + 215	245 + 317
Estimación aproximada: _____	Estimación aproximada: _____	Estimación aproximada: _____
4.	5.	6.
366 + 208	459 + 168	769 + 445
Estimación aproximada: _____	Estimación aproximada: _____	Estimación aproximada: _____

Resta: Método de restar cambiando primero

Nota a la familia

Hoy su hijo o hija aprendió a restar dos números de 3 dígitos usando el *método de restar cambiando primero*. Este método es similar al método de resta tradicional que probablemente usted conozca. Sin embargo, la "reagrupación" se hace *antes* de resolver el problema, de ahí el nombre "cambiando primero". Para más información, vea las páginas 54 y 55 del *Libro de consulta del estudiante*.

Por favor, devuelva este Vínculo con el hogar a la escuela mañana.

Resuelve. Quizá quieras usar el método de restar cambiando primero. Haz una estimación aproximada para comprobar si tu respuesta tiene sentido. Escribe un modelo numérico.

Ejemplo centenas / decenas / unidades 3 1̸6 4̸ 6̸ 8 − 2 7 4 ———— 1 9 4 Estimación aproximada: _____	**1.** 531 − 329 Estimación aproximada: _____	**2.** 331 − 209 Estimación aproximada: _____
3. 653 − 447 Estimación aproximada: _____	**4.** 925 − 486 Estimación aproximada: _____	**5.** 724 − 237 Estimación aproximada: _____

Tres o más sumandos

Nota a la familia

Este Vínculo con el hogar sirve de práctica en la búsqueda de combinaciones que permiten sumar con más facilidad. Ayude a su hijo o hija a buscar combinaciones que sumen 10, 20, 30, 40 y así sucesivamente. Luego, sumen el resto de los números.

Por favor, devuelva este Vínculo con el hogar a la escuela mañana.

Recuerda que cuando sumas:

• Los números pueden estar en cualquier orden.

• Algunas combinaciones permiten sumar con más facilidad.

Suma. Escribe los números en el orden en que los sumaste. Explica a alguien en casa por qué sumaste los números en ese orden.

Ejemplo $5 + 17 + 25 + 3 =$ __50__ Sumé en este orden: $5 + 25 + 17 + 3$	**1.** $6 + 18 + 14 =$ _____ Sumé en este orden: _____
2. $125 + 13 + 75 =$ _____ Sumé en este orden: _____	**3.** $15 + 6 + 14 + 5 =$ _____ Sumé en este orden: _____
4. $33 + 22 + 8 + 7 =$ _____ Sumé en este orden: _____	**5.** $150 + 215 + 300 + 50 + 200 =$ _____ Sumé en este orden: _____ _____

Tres o más sumandos, *cont.*

Resuelve estas historias de números.

6. El hermanito de Nico tiene una cesta llena de bloques de madera. 18 bloques son rojos, 15 son azules y 22 son amarillos. ¿Cuántos bloques rojos, azules y amarillos hay en la cesta?

Total		
Parte	**Parte**	**Parte**

Respuesta: _____ bloques

Modelo numérico: _____

7. Mariana tiene 3 días para leer un libro de 58 páginas. Leyó 17 páginas el lunes y 22 páginas el martes. ¿Cuántas páginas más tiene que leer para terminar el libro?

Total		
Parte	**Parte**	**Parte**

Respuesta: _____ páginas

Modelo numérico: _____

8. Crea una historia de números con 4 o más sumandos.

_____

_____

_____

_____

_____

Respuesta: _____
　　　　　　　　　　　　　　　　(unidad)

Modelo numérico: _____

Comprueba: ¿Tiene sentido mi respuesta?

Carta a la familia

Unidad 3: Medidas lineales y área

En la Unidad 3, los niños desarrollarán el sentido de las medidas midiendo la longitud en unidades estándar, tanto del **sistema tradicional estadounidense** como del **sistema métrico.**

Los niños practicarán cómo leer una regla a la pulgada más cercana, a la $\frac{1}{2}$ pulgada más cercana, al $\frac{1}{4}$ de pulgada más cercano y al centímetro más cercano. Para ello, medirán una variedad de objetos, incluyendo partes de su propio cuerpo, como las manos, las muñecas, el cuello y su estatura. Además de medir en pulgadas y centímetros, los niños también usarán otras medidas estándar, como el pie, la yarda y el metro. Los niños empezarán a usar algunas partes de su cuerpo o algunos objetos de uso común como **referencias personales** para estimar la longitud de otros objetos o distancias. Por ejemplo, la hoja de una libreta que mide aproximadamente 1 pie de longitud puede ayudar a los niños a estimar el tamaño en pies de una habitación.

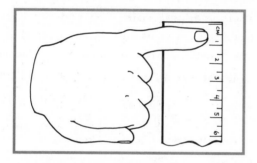

Mi dedo meñique mide aproximadamente un centímetro de ancho.

En esta unidad también se investiga el concepto de **perímetro**. Los niños usarán popotes y tiritas de alambre para construir **polígonos**, o sea, figuras bidimensionales cuyos lados se conectan. Luego, los niños medirán la distancia que rodea cada polígono para hallar el perímetro.

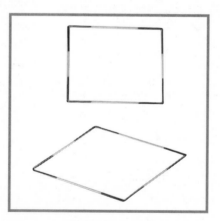

Los niños también descubrirán el significado de **área**, "enlosando" pequeños rectángulos con bloques y contando cuántos bloques cubren los rectángulos. Los niños aprenderán a calcular el área enlosando superficies más grandes, como la parte superior de una mesa o el suelo, en pies cuadrados y yardas cuadradas.

Al final de esta unidad, los niños explorarán la **circunferencia** y el **diámetro** de los círculos. Aprenderán la regla de "más o menos el triple", según la cual la circunferencia de un círculo es un poco más del triple de la longitud de su diámetro.

Por favor, guarde esta Carta a la familia como referencia mientras su hijo o hija trabaja en la Unidad 3.

Usar con la lección 2.10

Vocabulario

Términos importantes de la Unidad 3:

área El número de unidades, normalmente cuadrados, que cabe en una superficie limitada.

circunferencia La distancia que rodea un círculo; suele asociarse con el perímetro del círculo.

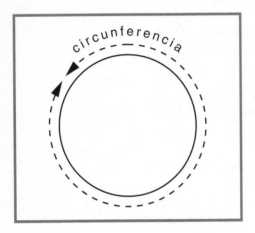

diámetro La distancia a través del centro del círculo.

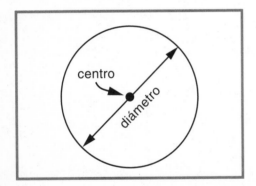

enlosar Cubrir una superficie con figuras, de manera que no haya vacíos ni superposiciones, exceptuando el posible espacio alrededor de los bordes.

longitud La medida de la distancia entre dos puntos.

perímetro La distancia que rodea una superficie limitada por un contorno.

polígono Figura bidimensional cuyos lados son segmentos de recta conectados por sus extremos. *Ejemplos:* triángulos, cuadrados, rectángulos, trapecios.

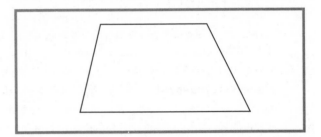

referencias personales Objetos o distancias que miden aproximadamente 1 unidad (pulgada, pie, yarda o milla; milímetro, centímetro, metro o kilómetro).

regla del círculo de "más o menos el triple" La circunferencia de un círculo mide un poco más del triple de la longitud de su diámetro.

sistema métrico El sistema de medidas que usa milímetros, centímetros, metros y kilómetros para medir la longitud.

sistema tradicional estadounidense El sistema de medidas que usa pulgadas, pies, yardas y millas para medir la longitud.

unidad cuadrada estándar Unidad empleada para medir un área; un cuadrado que mide 1 pulgada, 1 centímetro, 1 yarda u otra medida estándar de longitud en cada lado.

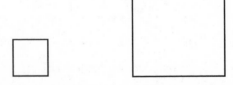

1 centímetro cuadrado   1 pulgada cuadrada

unidad estándar Una unidad de medida acordada. *Ejemplos:* pie, libra, galón, metro, kilogramo, litro.

Usar con la lección 2.10

Actividades para hacer en cualquier ocasión

Para trabajar con su hijo o hija con los conceptos aprendidos en esta unidad y en las anteriores, hagan juntos estas interesantes y provechosas actividades:

1 Motive a su hijo o hija a hallar referencias personales para hacer diversas mediciones de longitud en casa.

2 Practique con él o ella el uso de las referencias personales para *estimar* longitudes y después, el uso de la regla para *medir* la longitud real.

3 Practiquen cómo medir el perímetro de objetos y la circunferencia de objetos circulares que hallen en casa.

Cuando ayude a su hijo o hija a hacer la tarea

Cuando su hijo o hija traiga tareas a casa, lean juntos y clarifiquen las instrucciones cuando sea necesario. Las siguientes respuestas le servirán de guía para usar los Vínculos con el hogar de esta unidad.

Vínculo con el hogar 3.4

2. perímetro del polígono A = 20 cm

perímetro del polígono B = 20 cm

3. a. 12 pies **3. b.** 60 pulgadas

Vínculo con el hogar 3.6

1. Área = 24 unidades cuadradas

2. Área = 27 unidades cuadradas

Respuesta posible:

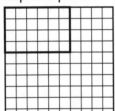

Respuesta posible:

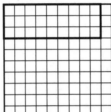

3. Este rectángulo es de 2 por 6. Área = 12 unidades cuadradas

4. Este rectángulo es de 5 por 4. Área = 20 unidades cuadradas

5. Este rectángulo es de 4 por 9. Área = 36 unidades cuadradas

Vínculo con el hogar 3.7

1. 80 losas   **2.** $160

3. 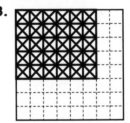   **4.** 30 plantas

---

Desarrollar destrezas por medio de juegos

En la Unidad 3, su hijo o hija practicará destrezas de multiplicación y división a través de los siguientes juegos. Para instrucciones más detalladas, vea el *Libro de consulta del estudiante*.

Supera la suma

Cada jugador voltea dos cartas y dice en voz alta cuánto suman. El jugador con la suma más alta toma todas las cartas de la ronda.

Gánale a la calculadora

Una "calculadora" (un jugador que usa una calculadora) y un "cerebro" (un jugador que resuelve problemas sin calculadora) compiten para ver quién resuelve primero los problemas de suma.

Dale un nombre al número

Los jugadores voltean una carta para hallar un número que deben nombrar haciendo cualquier combinación con las 5 cartas puestas boca arriba.

4	10	8	12	2		6
4	10	8	12	2		6

El número 6 se puede nombrar como 4 + 2, 8 − 2 ó 10 − 4.

Medidas en casa

Nota a la familia

Ayude a su hijo o hija a encontrar etiquetas, ilustraciones y descripciones que contengan medidas. De ser posible, póngalas en un sobre o portafolios para que su hijo o hija las pueda traer a la escuela mañana junto con este Vínculo con el hogar.

Por favor, devuelva este Vínculo con el hogar a la escuela mañana.

1. Busca artículos que contengan medidas, como latas y cajas. Haz una lista de los artículos y sus medidas.

Artículo	Medida
cartón de leche	*1 cuarto de galón*

2. Busca fotografías y anuncios donde aparezcan medidas. Mira en revistas, periódicos o catálogos. Pregunta a un adulto si puedes llevarlos a la escuela.

3. Si no entiendes las fotografías que has encontrado, pide a alguien de tu casa que te las explique. Prepárate para hablar sobre tus ejemplos en la escuela.

Medidas del cuerpo

Nota a la familia

Ayude a su hijo o hija a medir a un adulto en casa. Si pueden, usen una cinta para medir. También pueden usar un trozo de cuerda. Marquen las longitudes en la cuerda con una pluma y luego, midan la cuerda con una regla.

Por favor, devuelva este Vínculo con el hogar a la escuela mañana.

Mide a un adulto de tu casa. Completa la información que falta.

Nombre del adulto: _____

Estatura: aproximadamente _____ pulgadas

Largo del zapato: aproximadamente _____ pulgadas

Alrededor del cuello: aproximadamente _____ pulgadas

Alrededor de la muñeca: aproximadamente _____ pulgadas

Distancia de la cintura al piso: aproximadamente _____ pulgadas

Antebrazo: aproximadamente	Cuarta: aproximadamente	Braza: aproximadamente
_____ pulgadas	_____ pulgadas	_____ pulgadas
antebrazo	cuarta	braza

Recordatorio

Busca más cosas que muestren medidas. Si puedes, tráelas a la escuela. (Pide permiso primero.) Si no, descríbelas en una hoja de papel.

Medir la altura

Nota a la familia

Es más fácil medir la altura del techo con herramientas como una vara que mide una yarda, una regla de carpintero o una cinta para medir de metal. Otra forma consiste en pegar una cuerda al mango de una escoba y elevarla hasta el techo. Cuando la cuerda cuelgue desde el techo hasta el suelo, córtela y luego mídala con una regla.

Por favor, devuelva este Vínculo con el hogar a la escuela mañana.

Trabaja con alguien de tu casa.

1. Mide la altura del techo de tu habitación.

El techo de mi habitación mide aproximadamente _____ pies de altura.

2. Mide la altura de una mesa.

La mesa mide entre _____ y _____ pies de altura.

3. Aproximadamente, ¿cuántas mesas podrías apilar en tu habitación, una encima de la otra?

alrededor de _____ mesas

4. Haz un dibujo de cómo se verían las mesas apiladas en tu habitación.

Perímetro

Nota a la familia

El perímetro de una figura geométrica es la distancia que rodea la figura. Si la figura es un polígono, como los de esta página, el perímetro se puede hallar sumando la longitud de sus lados. Si quiere repasar este tema en detalle con su hijo o hija, use las páginas 132 y 133 del *Libro de consulta del estudiante*.

Por favor, devuelva este Vínculo con el hogar a la escuela mañana.

1. Estima: ¿Qué polígono tiene el perímetro mayor, el polígono A o el B? _____

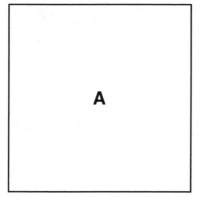

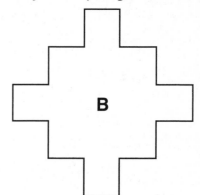

2. Comprueba tu estimación midiendo el perímetro de cada polígono en centímetros. Si no tienes una regla con centímetros, recorta la que aparece en la parte inferior de la página.

perímetro/polígono A = _____ cm   perímetro/polígono B = _____ cm

3. ¿Cuál es el perímetro de cada una de las figuras de abajo?

a.

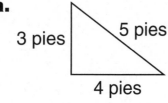

3 pies   5 pies

4 pies

b. 10 pulg a cada lado

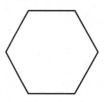

perímetro = _____ pies   · perímetro = _____ pulg

✂

| 0 | 1 | 2 | 3 | 4 | 5 | 6 | 7 | 8 | 9 | 10 | 11 | 12 | 13 | 14 | 15 |

cm

Perímetro de la habitación

Vínculo con el hogar 3.5

Nota a la familia

Una referencia de medida personal es algo que se sabe cuánto mide, como por ejemplo, su estatura o las onzas que contiene una lata de refresco. Las referencias personales pueden ayudarnos a estimar medidas que no conocemos. La medida del paso de una persona se define como la longitud del paso, medido de tacón a tacón o de punta a punta. Si lo desea, puede leer acerca de referencias de medida personales con su hijo o hija en las páginas 123, 124, 130 y 131 del *Libro de consulta del estudiante*.

Por favor, devuelva este Vínculo con el hogar a la escuela mañana.

Puedes medir a pasos usando la longitud de uno de tus pasos.

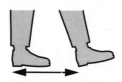

1. Halla el perímetro de tu habitación, midiéndola a pasos.

Camina a lo largo de cada lado y cuenta el número de pasos.

El perímetro de mi habitación mide alrededor de _____ pasos.

2. Decide cuál de las habitaciones de tu casa tiene el perímetro mayor.

La/El _____ tiene el perímetro mayor.

El perímetro mide alrededor de _____ pasos.

3. Dibuja esa habitación en el espacio siguiente. Piensa que tendrás que compartir tu dibujo con la clase.

Área del rectángulo

Vínculo con el hogar 3.6

Nota a la familia

Hoy hemos estudiado el concepto de área. El área es la medida de la superficie de una figura de dos dimensiones. Una forma de hallar el área es contando unidades del mismo tamaño dentro de una figura. Para obtener más información, vea las páginas 136 a 138 del *Libro de consulta del estudiante.* En la próxima lección veremos formas de calcular el área.

Por favor, devuelva este Vínculo con el hogar a la escuela mañana.

LCE 136–138

Muestra a alguien de tu casa cómo hallar el área de cada rectángulo. Marca cada recuadro con un punto a medida que cuentes los recuadros que hay dentro del rectángulo.

1. Dibuja un rectángulo de 4 por 6 en la cuadrícula.

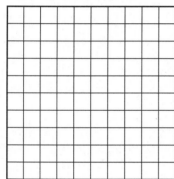

2. Dibuja un rectángulo de 3 por 9.

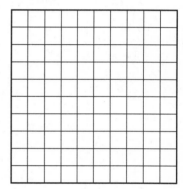

Rellena los espacios en blanco.

3.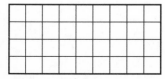

Este rectángulo es de _____ por _____ .

Área = _____ unidades cuadradas

4.

Este rectángulo es de _____ por _____ .

Área = _____ unidades cuadradas

5.

Este rectángulo es de _____ por _____ .

Área = _____ unidades cuadradas

Área

Nota a la familia

Hoy hemos estudiado el área como matriz o diagrama. Una matriz es una serie de objetos colocados en filas y columnas, y dispuestos en forma de rectángulo. Ayude a su hijo o hija a hacer un dibujo de las plantas de tomate del problema 3. Use el diagrama para hallar el número total de plantas.

Por favor, devuelva este Vínculo con el hogar a la escuela mañana.

El Sr. López colocó losas en el piso de su cocina. Así es como se ve el piso con las losas.

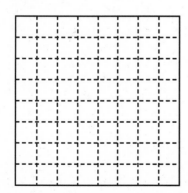

1. ¿Cuántas losas usó? _____ losas

2. Cada losa costaba $2. ¿Cuánto costaron todas las losas? $_____

3. La Sra. López sembró plantas de tomate en su jardín. Sembró 5 filas con 6 plantas en cada una. Traza un diagrama de las plantas de tomate. (*Una pista:* Puedes indicar cada planta con un punto o una X.)

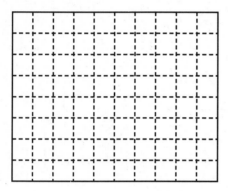

4. ¿Cuántas plantas de tomate hay en total? _____ plantas de tomate

Circunferencia y diámetro

Nota a la familia

Hoy en la escuela, su hijo o hija aprendió las definiciones de circunferencia y diámetro. Pídale que se las explique. Ayúdele a buscar y medir objetos circulares, como vasos, platos, relojes, latas, etc. La regla del círculo de "más o menos el triple" dice que la circunferencia de cualquier círculo, sea cual sea su tamaño, es alrededor del triple de su diámetro. Si lo desea, puede repasar con su hijo o hija, las págs. 134 y 135 del *Libro de consulta del estudiante*.

Por favor, devuelva este Vínculo con el hogar a la escuela mañana.

Mide el diámetro y la circunferencia de objetos circulares en casa. Usa una cinta de medir. Si no tienes, usa un trozo de cuerda. Marca las longitudes en la cuerda con el dedo o con una pluma y luego, mide la cuerda.

¿Te parece que funciona la regla de "más o menos el triple"? Comparte la regla del círculo con alguien de tu casa.

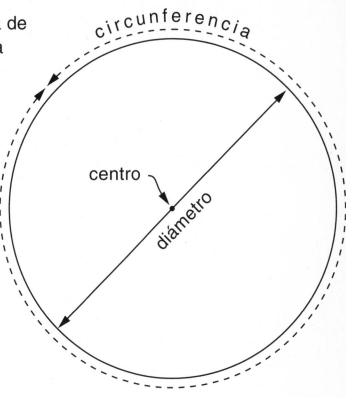

Diámetro = 10 cm

Circunferencia = aprox. 30 cm

Objeto	Diámetro	Circunferencia

Carta a la familia

Unidad 4: **Multiplicación y división**

La Unidad 4 se concentra en los usos más comunes de la multiplicación y la división: problemas que implican compartir en partes iguales y hacer grupos iguales. En *Matemáticas diarias, Segundo grado*, los niños vieron historias de multiplicación y división, así como operaciones de multiplicación y división. Para resolver las historias de multiplicación y división, los niños se remitirán a estrategias conocidas que se aprendieron en segundo grado:

• **Representar los problemas usando objetos concretos, tales como macarrones** (abajo)

• **Representar los problemas con dibujos y matrices** (derecha)

niños	centavos por niño	número total de centavos
4	?	28

Una hoja de estampillas tiene 6 filas. Cada fila tiene 3 estampillas. ¿Cuántas estampillas hay en la hoja?

$6 \times 3 = 18$

• **Usar diagramas para agrupar cantidades** (arriba)

Problema:	**Estrategias para resolver:**
Cada niño tiene 2 manzanas. Hay 16 manzanas en total. ¿Cuántos niños tienen manzanas?	$2 \times ? = 16$, o sé que $16 \div 2 = 8$. *Si hay 16 manzanas y cada niño tiene 2, entonces debe haber 8 niños.*

• **Usar modelos numéricos para representar estrategias para resolver problemas** (arriba)

Vocabulario

Términos importantes de la Unidad 4:

cociente El resultado de la división. (Ver cuadro abajo)

diagrama de multiplicación/división Diagrama usado para representar problemas en que se toma en cuenta el número total de objetos que hay en varios grupos iguales. El diagrama tiene tres partes: el número de grupos, el número en cada grupo y el número total.

dividendo El total antes de ser dividido.

divisor El número de partes iguales o sea, el número en cada parte igual.

En el modelo numérico
28 ÷ 4 = 7,
el **28** es el **dividendo,**
el **4** es el **divisor** y
el **7** es el **cociente.**

factor Un número que se multiplica.

grupos iguales Conjuntos con el mismo número de elementos, tales como mesas de 4 patas, filas de 6 sillas, cajas de 100 clips, etc.

En el modelo numérico
4 × 3 = 12,
el **4** y el **3** son los **factores**
y el **12** es el **producto.**

matriz Grupo de objetos dispuestos en filas y columnas.

multiplicación La operación usada para hallar el número total de cosas que hay en varios grupos iguales; o para hallar el número de veces que se repite un número.

múltiplos Grupos repetidos de la misma cantidad o número. Los múltiplos de un número son los productos de ese número multiplicado por otros números enteros. Por ejemplo: 2, 4, 6, 8 y 10 son todos múltiplos de 2 porque $2 \times 1 = 2$, $2 \times 2 = 4$, etc.

número cuadrado El producto de un número multiplicado por sí mismo; cualquier número que pueda representarse con una matriz cuadrada.

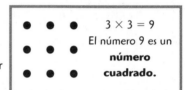

$3 \times 3 = 9$
El número 9 es un **número cuadrado.**

producto El resultado de la multiplicación. (Ver cuadro a la izquierda)

residuo La cantidad que queda cuando se divide en grupos iguales. En el modelo numérico de división $16 \div 3 \rightarrow 5$ R1, el residuo es 1.

Desarrollar destrezas por medio de juegos

En la Unidad 4, su hijo o hija practicará la división y la multiplicación a través de los siguientes juegos. Para instrucciones más detalladas, vea el *Libro de consulta del estudiante.*

Matrices de división

Los jugadores hacen matrices con fichas, usando tarjetas con números para determinar el número de fichas y tirando un dado para determinar el número de filas.

Gánale a la calculadora

Una "calculadora" (el jugador que usa una calculadora) y un "cerebro" (el jugador que resuelve problemas sin calculadora) compiten para ver quién resolverá problemas de multiplicación primero.

© 2002 Everyday Learning Corporation

Actividades para hacer en cualquier ocasión

Para practicar con su hijo o hija los conceptos aprendidos en esta unidad y en las anteriores, hagan juntos estas interesantes y gratificantes actividades:

1 Clasifiquen objetos en grupos iguales. Comenten lo que podrían hacer con los objetos que sobran.

2 Repasen los atajos para hacer las operaciones de multiplicación:

- **operaciones en orden inverso** El orden de los factores no altera el producto. Por lo tanto, si sabes que $3 \times 4 = 12$, también sabes que $4 \times 3 = 12$.

- **multiplicación por 1** El producto de 1 y otro número es siempre igual al otro número. Por ejemplo: $1 \times 9 = 9$; $1 \times 7 = 7$.

- **multiplicación por 0** El producto de 0 y otro número es siempre cero. Por ejemplo: $4 \times 0 = 0$; $0 \times 2 = 0$.

- **números cuadrados** Las matrices de números multiplicados por sí mismos siempre son cuadrados. Por ejemplo: 2×2 y 4×4 son números cuadrados.

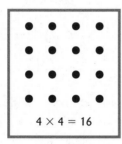

$4 \times 4 = 16$

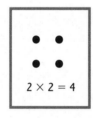

$2 \times 2 = 4$

3 Use los Triángulos de operaciones de $\times, \div$ *(le enviaremos un juego a casa más adelante)* para practicar las operaciones básicas. Ayude a su hijo o hija tapando un número de la tarjeta y luego pidiéndole que cree un modelo numérico de multiplicación o división usando los otros dos números.

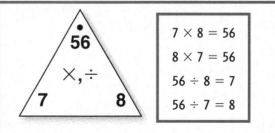

$7 \times 8 = 56$

$8 \times 7 = 56$

$56 \div 8 = 7$

$56 \div 7 = 8$

4 Escriba cualquier número. Por ejemplo: 34,056. Luego, hágale preguntas como las siguientes: ¿Cuántos millares hay? *(4)* ¿Cuál es el valor del dígito 5? *(50)*

5 Hágale preguntas como las siguientes:
¿Es $467 + 518$ más o menos que 1,000? *(menos)* ¿Es $754 - 268$ más o menos que 500? *(menos)*

Usar con la lección 3.9

Cuando ayude a su hijo o hija a hacer la tarea

Cuando su hijo o hija traiga tarea a casa, lean juntos y clarifiquen las instrucciones, cuando sea necesario. Las respuestas que aparecen a continuación le servirán de guía para usar los Vínculos con el hogar de esta unidad.

Vínculo con el hogar 4.1

1. 30 manzanas   **2.** 60 tortas

Vínculo con el hogar 4.2

1. 24 fichas   **2.** 24 fichas

3. 24 fichas

Vínculo con el hogar 4.3

1. 5 fichas por persona; 0 fichas sobrantes

2. 2 fichas por persona; 5 fichas sobrantes

3. 4 semanas en enero; 3 días sobrantes

4. 4 equipos; 2 niños sobrantes

5. 2 lápices; sobran 4 lápices

6. 11 dulces; 0 dulces sobrantes

7. 8 estantes

Vínculo con el hogar 4.4

1. 6 canicas; sobran 0 canicas

2. 2 galletas; sobra 1 galleta

3. 4 filas completas; sobran 6 estampillas

Vínculo con el hogar 4.5

1. 10; 10   **2.** 15; 15   **3.** 20; 20   **4.** 9; 9

5. 90; 90   **6.** 365; 365   **7.** 0; 0   **8.** 0; 0

9. 0; 0   **10.** 20   **11.** 20   **12.** 18

13. 14   **14.** 15   **15.** 50

Vínculo con el hogar 4.6

1. 10; 10; 10; 10   **2.** 12; 12; 12; 12

3. $2 \times 7 = 14$; $7 \times 2 = 14$; $14 \div 2 = 7$; $14 \div 7 = 2$

4. $2 \times 8 = 16$; $8 \times 2 = 16$; $16 \div 2 = 8$; $16 \div 8 = 2$

5. $5 \times 4 = 20$; $4 \times 5 = 20$; $20 \div 5 = 4$; $20 \div 4 = 5$

6. $10 \times 6 = 60$; $6 \times 10 = 60$; $60 \div 10 = 6$; $60 \div 6 = 10$

Vínculo con el hogar 4.7

1. $5 \times 6 = 30$; $6 \times 5 = 30$; $30 \div 6 = 5$; $30 \div 5 = 6$

2. $8 \times 3 = 24$; $3 \times 8 = 24$; $24 \div 3 = 8$; $24 \div 8 = 3$

3. $2 \times 9 = 18$; $9 \times 2 = 18$; $18 \div 2 = 9$; $18 \div 9 = 2$

4. $4 \times 7 = 28$; $7 \times 4 = 28$; $28 \div 7 = 4$; $28 \div 4 = 7$

5. $9 \times 8 = 72$; $8 \times 9 = 72$; $72 \div 9 = 8$; $72 \div 8 = 9$

6. $6 \times 7 = 42$; $7 \times 6 = 42$; $42 \div 7 = 6$; $42 \div 6 = 7$

Vínculo con el hogar 4.8

1. 5; 7; $7 \times 5 = 35$; 35 unidades cuadradas

2. 7; 6; $6 \times 7 = 42$; 42 unidades cuadradas

3. $4 \times 8 = 32$

4. $5 \times 9 = 45$

Vínculo con el hogar 4.9

Se deberían encerrar en un círculo las siguientes respuestas:

1. más que la distancia de Chicago a Dallas; alrededor de 2,400 millas

2. alrededor de 600 millas; menos que la distancia de Chicago a Denver

3. más que la distancia de New York a Chicago

4. menos que la distancia de Denver a Atlanta; más que la distancia de New York a Portland; alrededor de 750 millas

Historias de multiplicación

Vínculo con el hogar 4.1

Nota a la familia

Hoy su hijo o hija aprendió acerca de otra herramienta usada para resolver historias de números. Se llama Diagrama de ×, ÷. Este tipo de diagrama puede ayudar a su hijo o hija a organizar la información de un problema. Una vez que la información esté organizada, es más fácil decidir qué operación (+, −, ×, ÷) resolverá el problema. Remítase a las páginas 65, 191 y 192 del *Libro de consulta del estudiante* para obtener más información.

Por favor, devuelva este Vínculo con el hogar a la escuela mañana.

Para cada historia de números:

- Escribe los números que sabes. Escribe ? para los números que necesitas averiguar.

- Usa fichas, haz dibujos o haz cualquier cosa que te ayude a hallar la respuesta.

- Escribe la respuesta y la unidad de medida. Comprueba si tu respuesta tiene sentido.

1. María compra 5 paquetes de manzanas para una fiesta. Hay 6 manzanas en cada paquete. ¿Cuántas manzanas tiene?

paquetes	manzanas por paquete	número total de manzanas

Respuesta: _____
(unidad)

2. Miguel puso todas las tortas para la venta de la escuela en 10 cajas. Puso 6 tortas en cada caja. ¿Cúantas tortas hay?

cajas	tortas por caja	número total de tortas

Respuesta: _____
(unidad)

3. Halla múltiplos de grupos de objetos iguales en tu casa, en tu vecindario o en una tienda. Anótalos en el reverso de esta página. *Ejemplos:* 3 luces en cada semáforo, 24 latas de refresco en cada caja

4. Escribe una historia de multiplicación sobre uno de tus grupos. Usa el reverso de esta hoja. Resuelve la historia.

Matrices

Nota a la familia

Su hijo o hija está aprendiendo a representar problemas de multiplicación usando unos dibujos llamados matrices. Una matriz es un grupo de objetos dispuestos en filas y columnas iguales. Ayude a su hijo o hija a usar fichas, monedas u otro tipo de cuentas, para formar la matriz en cada problema. Su hijo o hija deberá marcar cada solución en los puntos que hay junto al problema.

Por favor, devuelva este Vínculo con el hogar a la escuela mañana.

Durante las próximas semanas, busca dibujos de objetos dispuestos en filas iguales, o sea, **matrices.** Busca en periódicos y revistas. Pide a alguien de tu familia que te ayude. Explica que tu clase prepara una "Exposición de matrices".

Esta matriz es de 5 por 6. Hay 5 filas. En cada fila hay 6 puntos. Hay 30 puntos en total:
$5 \times 6 = 30$.

Haz la matriz con fichas. Marca los puntos para mostrar la matriz.

1. 4 filas con 6 fichas por fila
una **matriz de 4 por 6**

_____ fichas

2. 3 filas con 8 fichas por fila
una **matriz de 3 × 8**

_____ fichas

3. 2 filas con 12 fichas por fila
una **matriz de 2 × 12**

_____ fichas

Crea tu propio ejercicio.

4. _____ filas con _____ fichas por fila

una **matriz de** _____ × _____

_____ fichas

División con fichas

Nota a la familia

Su hijo o hija empieza a usar la división para resolver historias de números. Un primer paso consiste en representar cada problema con fichas. Esto le ayudará a comprender el significado de la división. Más adelante, su hijo o hija memorizará las operaciones básicas de división.

Por favor, devuelva este Vínculo con el hogar a la escuela mañana.

Muestra a alguien en tu casa cómo dividir usando macarrones, monedas u otro tipo de fichas.

1. Se reparten 25 fichas en partes iguales entre 5 personas.

_____ fichas por persona

_____ fichas sobrantes

2. Se distribuyen 25 fichas en partes iguales entre 10 personas.

_____ fichas por persona

_____ fichas sobrantes

3. Hay 31 días en enero, 7 días por semana.

_____ semanas en enero

_____ días sobrantes

4. Hay 22 niños, 5 niños por equipo.

_____ equipos

_____ niños sobrantes

---

5. La Sra. March tiene 34 lápices para dar a los 15 alumnos de su clase de música.

¿Cuántos lápices puede dar a cada alumno? _____ lápices

¿Cuántos lápices sobran? _____ lápices

6. Caleb compartió 22 dulces con su hermana. ¿Cuántos dulces le tocaron a cada uno?

_____ dulces _____ dulces sobrantes

7. Marta tiene 30 libros para colocar en unos estantes. En cada estante caben 4 libros.

¿Cuántos estantes necesita? _____ estantes

Historias de división

Nota a la familia

Si a su hijo o hija le resulta difícil resolver las historias de división, ayúdele usando fichas para encontrar la solución. Podría usar cualquier tipo de cuentas pequeñas, como monedas de 1 centavo, pasta o frijoles, para hacer una demostración de los problemas. Remítase a las páginas 67, 68, 191 y 192 del *Libro de consulta del estudiante.* Por el momento, no se espera que su hijo o hija sepa las operaciones básicas de división.

Por favor, devuelva este Vínculo con el hogar a la escuela mañana.

Muestra a alguien de tu casa cómo puedes usar la división para resolver estas historias de números. Completa los diagramas.

1. Carlos dio 24 canicas a 4 amigos. A cada amigo le tocó el mismo número de canicas. ¿Cuántas canicas le tocaron a cada amigo?

amigos	canicas por amigo	número total de canicas

_____ canicas

¿Cuántas canicas sobran? _____ canicas

2. Allie tenía que poner 29 galletas en 14 bolsas. Puso el mismo número de galletas en cada bolsa. ¿Cuántas galletas puso en cada bolsa?

bolsas	galletas por bolsa	número total de galletas

_____ galletas

¿Cuántas galletas sobran? _____ galleta(s)

3. En una hoja de estampillas hay 46 estampillas. En una fila completa hay 10 estampillas. ¿Cuántas filas completas hay?

filas completas	estampillas por fila	número total de estampillas

_____ filas completas

¿Cuántas estampillas sobran? _____ estampillas

Atajos para multiplicar

Nota a la familia

Su hijo o hija está aprendiendo las operaciones básicas de multiplicación. Escuche a su hijo o hija cuando le explique los atajos para multiplicar que usa mientras resuelve los problemas. Repasen juntos algunas operaciones básicas de multiplicar por 1, por 2, por 5 y por 10 (como por ejemplo: $1 \times 3 = ?$, $? = 2 \times 4$, $5 \times 5 = ?$ y $10 \times 4 = ?$).

Por favor, devuelva este Vínculo con el hogar a la escuela mañana.

Explica a alguien de tu casa lo que son los atajos para multiplicar.

La regla de la multiplicación en orden inverso: $3 \times 4 = 12$ me ayuda a saber que $4 \times 3 = 12$.

1. $2 \times 5 =$ _____ y $5 \times 2 =$ _____

2. _____ $= 5 \times 3$ y _____ $= 3 \times 5$

3. $10 \times 2 =$ _____ y $2 \times 10 =$ _____

Si se multiplica 1 por cualquier número, el producto es ese número. Lo mismo ocurre si se multiplica cualquier número por 1.

4. _____ $= 1 \times 9$ y _____ $= 9 \times 1$

5. $1 \times 90 =$ _____ y $90 \times 1 =$ _____

6. $365 \times 1 =$ _____ y $1 \times 365 =$ _____

Si se multiplica 0 por cualquier número, el producto es 0. Lo mismo ocurre si se multiplica cualquier número por 0.

7. $0 \times 12 =$ _____ y $12 \times 0 =$ _____

8. $99 \times 0 =$ _____ y $0 \times 99 =$ _____

9. _____ $= 9,365 \times 0$ y _____ $= 0 \times 9,365$

Piensa en contar de 2 en 2, de 5 en 5 y de 10 en 10.

10.	**11.**	**12.**	**13.**	**14.**	**15.**
10	5	9	2	5	10
$\times 2$	$\times 4$	$\times 2$	$\times 7$	$\times 3$	$\times 5$

Triángulos de operaciones de ✕, ÷

Nota a la familia

Los **Triángulos de operaciones** son herramientas para desarrollar el cálculo mental. Son la versión de *Matemáticas diarias* de las tarjetas de práctica. Los Triángulos de operaciones son más efectivos para ayudar a los niños a memorizar operaciones básicas, ya que ponen énfasis en las familias de operaciones.

Una **familia de operaciones** es una serie de operaciones que se relacionan entre sí, formadas con los mismos 3 números. Para los números 4, 6 y 24, por ejemplo, la familia de operaciones de multiplicación/división consiste en: $4 \times 6 = 24$, $6 \times 4 = 24$, $24 \div 6 = 4$ y $24 \div 4 = 6$.

Puede usar los Triángulos de operaciones para practicar la multiplicación con su hijo o hija.

Recorte los Triángulos de operaciones que hay en las dos hojas adjuntas a esta carta. Luego, para practicar la multiplicación con su hijo o hija, primero tape con el pulgar el número situado junto al punto o sea, el producto.

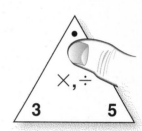

Su hijo o hija debería decir en voz alta una o dos operaciones de multiplicación: $3 \times 5 = 15$ ó $5 \times 3 = 15$.

Para practicar la división, tape uno de los números más pequeños con el pulgar.

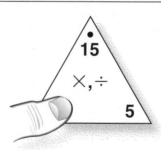

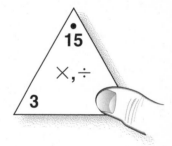

Ahora su hijo o hija debería decirle la operación de división $15 \div 5 = 3$.

Ahora su hijo o hija debería decirle la operación de división $15 \div 3 = 5$.

Si su hijo o hija comete algún error, siga con los otros dos problemas del triángulo y luego vuelva a la operación donde se equivocó. *Ej.:* Susana no sabe $15 \div 3$. Muéstrele 3×5 y luego $15 \div 5$; finalmente, muéstrele $15 \div 3$ por segunda vez.

Esta actividad debería ser breve y divertida. Practiquen juntos unos 10 minutos diarios durante las próximas semanas o hasta que su hijo o hija domine todas las operaciones. Lo que hagan en casa servirá de apoyo al trabajo que hacemos en la escuela.

*Por favor, devuelva la **segunda página** de este Vínculo con el hogar a la escuela mañana.*

Triángulos de operaciones de ×, ÷, *cont.*

Explica a alguien de tu casa lo que son las familias de operaciones de multiplicación/división.

1. Los números 2, 5 y 10 forman las siguientes operaciones:

$2 \times 5 = $ _____   _____ $\div 2 = 5$

$5 \times 2 = $ _____   _____ $\div 5 = 2$

2. Saber que $6 \times 2 = $ _____ y $2 \times 6 = $ _____

me ayuda a saber que _____ $\div 2 = 6$ y _____ $\div 6 = 2$.

3. Los números 2, 7 y 14 forman esta familia de operaciones de multiplicación/división:

_____   _____

_____   _____

Escribe la familia de operaciones de cada Triángulo de operaciones de ×, ÷.

4.
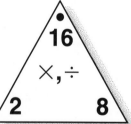

5.
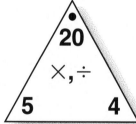

6.
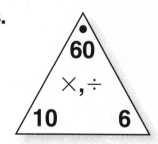

_____   _____   _____

_____   _____   _____

_____   _____   _____

_____   _____   _____

Familias de operaciones

Nota a la familia

Su hijo o hija sigue practicando la multiplicación en la escuela. Usted puede ayudarle recalcando la relación que existe entre la multiplicación y la división: Con los tres números, siempre que no sean cero, de una operación de multiplicación, se pueden formar dos operaciones de división. Los Triángulos de operaciones están diseñados para ayudar a los niños a entender este concepto.

Por favor, devuelva este Vínculo con el hogar a la escuela mañana.

Escribe la familia de operaciones de cada Triángulo de operaciones.

1.

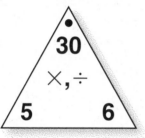

_____ × _____ = _____

_____ × _____ = _____

_____ ÷ _____ = _____

_____ ÷ _____ = _____

2.

_____ × _____ = _____

_____ × _____ = _____

_____ ÷ _____ = _____

_____ ÷ _____ = _____

3.

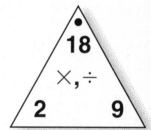

_____ × _____ = _____

_____ × _____ = _____

_____ ÷ _____ = _____

_____ ÷ _____ = _____

4.

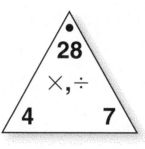

_____ × _____ = _____

_____ × _____ = _____

_____ ÷ _____ = _____

_____ ÷ _____ = _____

5.

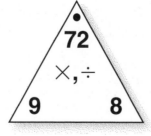

_____ × _____ = _____

_____ × _____ = _____

_____ ÷ _____ = _____

_____ ÷ _____ = _____

6.

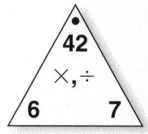

_____ × _____ = _____

_____ × _____ = _____

_____ ÷ _____ = _____

_____ ÷ _____ = _____

Matrices y áreas

**Nota a la
familia**

Su hijo o hija usa el mismo procedimiento para hallar el área de un rectángulo
que el que se usa para hallar el número de puntos que hay en una matriz. Para el
Problema 3, no importa si su hijo o hija dibuja una matriz con 4 filas de 8 puntos
o una con 8 filas de 4 puntos. Lo importante es que la matriz tenga dos lados con
4 puntos y dos lados con 8 puntos. Lo mismo se da para el Problema 4.

Por favor, devuelva este Vínculo con el hogar a la escuela mañana.

Haz un punto dentro de cada recuadro en una fila. Luego, rellena los
espacios en blanco.

1. Número de recuadros en una fila: _____

Número de filas: _____

Modelo numérico: _____ × _____ = _____

Área: _____ unidades cuadradas

2. Número de recuadros en una fila: _____

Número de filas: _____

Modelo numérico: _____ × _____ = _____

Área: _____ unidades cuadradas

Marca los puntos para mostrar cada matriz. Luego,
completa los espacios en blanco.

3. Haz una matriz de 4 por 8.

Modelo numérico: _____ × _____ = _____

4. Haz una matriz de 5 por 9.

Modelo numérico: _____ × _____ = _____

Usar una escala de mapa

Nota a la familia

Su hijo o hija está aprendiendo a usar una escala de mapa. Las distancias que se dan en el mapa son "a vuelo de pájaro", es decir, indican la ruta más directa de un punto a otro. Dichas estimaciones proporcionan información útil acerca de las distancias relativas entre lugares. Las distancias reales por carretera son más largas que estas rutas directas.

Por favor, devuelva este Vínculo con el hogar a la escuela mañana.

Para cada pregunta, encierra en un círculo todas las respuestas que sean razonables. (Puede haber más de una.) Todas las distancias son "a vuelo de pájaro". No te olvides de usar la escala del mapa de la página siguiente.

1. ¿Cuántas millas hay aproximadamente de New York a Los Angeles?

alrededor de 1,000 millas

más que la distancia de Chicago a Dallas

alrededor de 2,400 millas

2. ¿Cuántas millas hay aproximadamente de Chicago a Atlanta?

alrededor de 600 millas

más que la distancia de Chicago a Seattle

menos que la distancia de Chicago a Denver

3. ¿Cuántas millas hay aproximadamente de Seattle a Dallas?

alrededor de 2,600 millas

alrededor de 5,000 millas

más que la distancia de New York a Chicago

4. ¿Cuántas millas hay aproximadamente de New York a Atlanta?

menos que la distancia de Denver a Atlanta

más que la distancia de New York a Portland

alrededor de 750 millas

Usar una escala de mapa, *cont.*

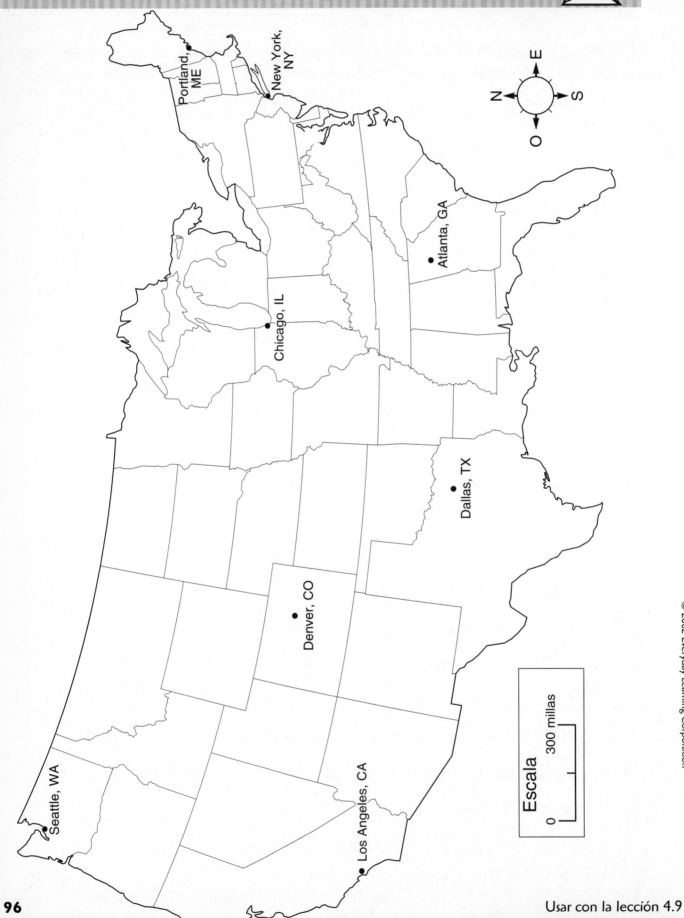

                                                      Usar con la lección 4.9

Unidad 5: Valor posicional en números enteros y decimales

En la Unidad 5, los niños repasarán el valor posicional en números enteros hasta las decenas de millar; luego explorarán el valor posicional hasta los millones. Practicarán cómo leer, escribir y ordenar números de cuatro y cinco dígitos, antes de pasar a ver números más grandes.

Para entender las aplicaciones de los números grandes a la vida real, los niños estudiarán datos sobre la población de ciudades estadounidenses. También trabajarán con números grandes al aproximar sus propias edades al minuto.

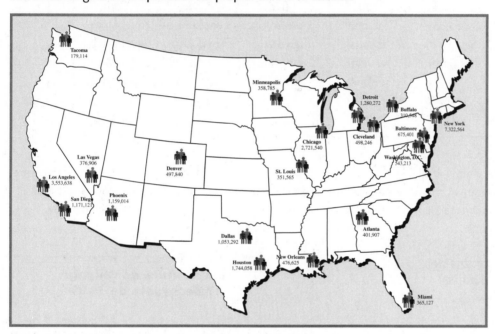

En segundo grado, los niños estudiaron los decimales hasta el lugar de las centésimas trabajando con dinero. En esta unidad, van a ampliar sus conocimientos sobre los decimales hasta las milésimas de forma gradual. Primero, los niños usarán modelos concretos, como bloques de base 10. Luego, escribirán valores decimales usando tres tipos distintos de notación. Por ejemplo: 0.1, una décima y $\frac{1}{10}$ son formas de referirse al mismo número.

Más adelante en la misma unidad, los niños compararán y ordenarán números usando los símbolos menor que ($<$), mayor que ($>$) e igual a ($=$).

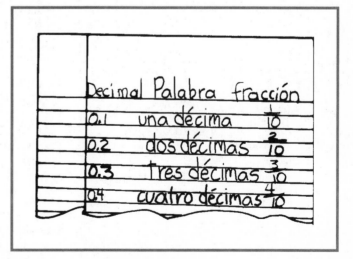

Por favor, guarde esta Carta a la familia como referencia mientras su hijo o hija trabaja en la Unidad 5.

Vocabulario

Términos importantes de la Unidad 5:

El *valor* de cada dígito en un número viene determinado por su *posición* en el número. Use la tabla siguiente para identificar los **millares**, las **centenas**, las **decenas**, las **unidades**, las **décimas**, las **centésimas** y las **milésimas** en el número 4,815.904 (que se lee: "cuatro mil ochocientos quince con novecientas cuatro milésimas"):

millares	centenas	decenas	unidades	décimas	centésimas	milésimas
4	8	1	5 .	9	0	4
Cada millar es igual a mil veces el valor unitario. (4,000)	Cada centena es igual a cien veces el valor unitario. (800)	Cada decena es igual a diez veces el valor unitario. (10)	Cada unidad es igual al valor unitario. (5)	Cada décima es igual a $\frac{1}{10}$ del valor unitario. $\left(\frac{9}{10}\right)$	Cada centésima es igual a $\frac{1}{100}$ del valor unitario. $\left(\frac{0}{100}\right)$	Cada milésima es igual a $\frac{1}{1,000}$ del valor unitario. $\left(\frac{4}{1,000}\right)$

gráfica circular Una gráfica en que se divide un círculo en partes que representan las partes de una serie de datos. El círculo representa la totalidad de la serie de datos.

gráfica lineal Un dibujo que muestra la relación entre datos por medio de una serie de puntos conectados entre sí con segmentos de recta; suele usarse para mostrar tendencias.

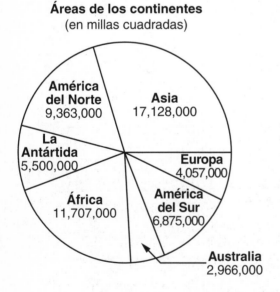

Áreas de los continentes
(en millas cuadradas)

América del Norte 9,363,000
Asia 17,128,000
La Antártida 5,500,000
Europa 4,057,000
África 11,707,000
América del Sur 6,875,000
Australia 2,966,000

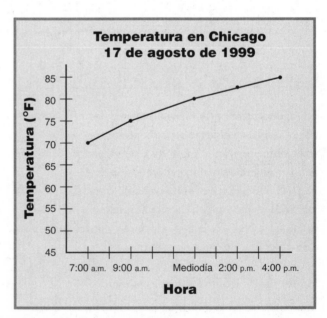

Temperatura en Chicago 17 de agosto de 1999

máximo La cantidad más grande o el número mayor en una serie de datos.

milímetro En el sistema métrico, una unidad de longitud equivalente a $\frac{1}{10}$ de centímetro y $\frac{1}{1,000}$ de metro.

Actividades para hacer en cualquier ocasión

Para trabajar con su hijo o hija sobre los conceptos aprendidos en esta unidad y en las anteriores, hagan juntos estas interesantes y provechosas actividades:

1 Díctele números grandes a su hijo o hija para que los escriba. *Ejemplos:* 4,123; 10,032; 2,368,502.

2 Marque números del mismo tipo en una calculadora para que su hijo o hija los lea.

3 Escriban juntos 5 números de varios dígitos en orden de menor a mayor.

4 Empiecen con cualquier número entero y, usando la calculadora, cuenten hacia adelante en incrementos de 0.01 ó 0.1.

Desarrollar destrezas por medio de juegos

En la Unidad 5, su hijo o hija practicará destrezas de multiplicación y división a través de los siguientes juegos. Para instrucciones más detalladas, vea el *Libro de consulta del estudiante.*

Béisbol de multiplicaciones

Los jugadores usan operaciones de multiplicación para meter carreras. Los miembros del equipo se turnan para "lanzar la bola", tirando dos dados para obtener dos factores. Luego, los jugadores del equipo de "bateadores" se turnan multiplicando los dos factores y diciendo el producto.

Supera el número

A medida que los jugadores toman cada carta, tienen que decidir en qué casilla de valor posicional colocarla (de las unidades a las decenas de millar al principio, y luego a las centenas de millar), hasta conseguir formar el número más grande.

Gánale a la calculadora

Una "calculadora" (un jugador que usa una calculadora) y un "cerebro" (un jugador que resuelve el problema sin calculadora) compiten para ver quién resolverá problemas de multiplicación primero.

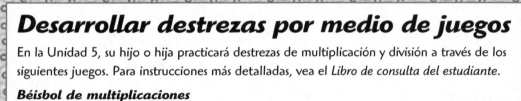

Matrices de división

Los jugadores hacen matrices con fichas usando tarjetas con números para determinar el número de fichas y tirando un dado para determinar el número de filas.

Cuando ayude a su hijo o hija a hacer la tarea

Cuando su hijo o hija traiga tarea a casa, lean juntos y clarifiquen las instrucciones, cuando sea necesario. Las respuestas que aparecen a continuación le servirán de guía para usar los Vínculos con el hogar de esta unidad.

Vínculo con el hogar 5.1

1. 7,889; 8,889; 9,889; 10,889; 11,889; 12,889

2. 8,789; 8,889; 8,989; 9,089; 9,189; 9,289

3. 8,879; 8,889; 8,899; 8,909; 8,919; 8,929

Vínculo con el hogar 5.2

1. <	**2.** >	**3.** <
4. <	**5.** >	**6.** <
7. 3,689	**8.** 9,863	**10.** 4 millares, o sea, 4,000

11. 5 decenas de millar, o sea, 50,000

12. 0 decenas, o sea, 0

13. 50,100; 51,100; 52,100; 53,100

Vínculo con el hogar 5.3

1. el mayor: 7,654,321
el menor: 1,234,567
total: 8,888,888

3.
7,037,562
7,000,007
4,056,211
104,719
42,876
25,086
9,603
784

4. 42,876

5. 7,037,562

6. 4,056,211

7. 7,000,007

Vínculo con el hogar 5.4

1. 7 continentes **2.** Asia **3.** Australia

4. La Antártida, América del Norte y América del Sur

5. Europa

6. América del Norte

7. África

Vínculo con el hogar 5.7

1. $\frac{3}{10}$, o sea, $\frac{30}{100}$; 0.3, o sea, 0.30 **2.** $\frac{9}{100}$; 0.09

3. $\frac{65}{100}$; 0.65 **4.** 0.3; 0.65; 0.65

5. **6.** **7.**

8. 0.04, 0.53, 0.8

Vínculo con el hogar 5.8

1. 57 centésimas; 5 décimas 7 centésimas

2. 70 centésimas; 7 décimas 0 centésimas

3. 4 centésimas; 0 décimas 4 centésimas

4. 0.23	**5.** 8.4	**6.** 30.20	**7.** 0.05

8. 0.4, 0.5, 0.6 **9.** 0.04, 0.05, 0.06

10. 1.00, 1.10, 1.20 **11.** 0.10, 0.11, 0.12

12. doce centésimas **13.** seis con una décima

Vínculo con el hogar 5.9

4. 0.6	**5.** 0.4	**6.** 0.17
7. 0.53	**8.** 0.2	**9.** 0.99

10.–13.

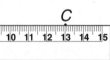

Vínculo con el hogar 5.10

2. a. 2 **b.** 10 **c.** 20 **d.** 100 **e.** 200 **f.** 600

3. a. 30 centímetros **b.** 0.3 metros **c.** 300 milímetros

Vínculo con el hogar 5.11

1. <	**2.** <	**3.** >	**4.** =
5. >	**6.** <	**7.** =	**8.** <

9. 9 centésimas, o sea, 0.09 **10.** 3 unidades, o sea, 3

11. 8 milésimas o sea, 0.008 **12.** 6.59, 6.60, 6.61

13. 1.03, 1.13, 1.23 **14.** 3.009, 3.010, 3.011

15. 4.4	**16.** 4.17	**17.** 9.0	**18.** 6.03
19. 8.1	**20.** 5.53	**21.** 2.9	**22.** 7.2

Usar con la lección 4.10

Marcos y flechas

Nota a la familia

Pídale a su hijo o hija que lea y resuelva los tres problemas de Marcos y flechas. Repase la regla usada en cada rompecabezas. Pídale a su hijo o hija que busque patrones en los marcos. Por ejemplo: ¿Qué dígito cambia cuando se suma o resta 1,000? *(el dígito de los millares)* ¿100? *(el dígito de las centenas y el de los millares cuando se pasa de 8 millares a 9 millares)* ¿10? *(el dígito de las decenas y el de las centenas cuando se pasa de 8 millares 8 centenas a 8 millares 9 centenas)*

Por favor, devuelva este Vínculo con el hogar a la escuela mañana.

Resuelve los problemas de Marcos y flechas.

1.

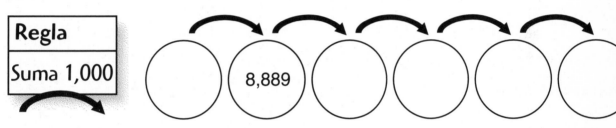

2.

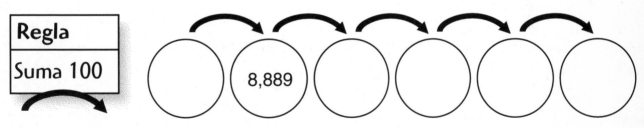

3.

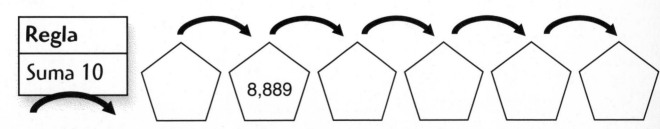

Comparar números

Nota a la familia

Repase el significado de los símbolos > y < antes de que su hijo o hija empiece con esta página. El juego *Supera el número* (con números de 5 dígitos), en las páginas 226 y 227 del *Libro de consulta del estudiante*, proporciona práctica para comparar números de 5 dígitos. Si lo desea, puede jugar con su hijo o hija. Cuando su hijo o hija haya terminado el Vínculo con el hogar, pídale que le lea en voz alta los números de la página.

Por favor, devuelva este Vínculo con el hogar a la escuela mañana.

LCE
226 227

Escribe > ó <.

1. 906 ＿＿ 960	**2.** 5,708 ＿＿ 599
3. 31,859 ＿＿ 31,958	**4.** 10,006 ＿＿ 10,106
5. 48,936 ＿＿ 4,971	**6.** 76,094 ＿＿ 76,111

> < significa "es menor que"
> > significa "es mayor que"

Usa los dígitos 6, 8, 3 y 9.

7. Escribe el menor número posible. ＿＿＿＿＿

8. Escribe el mayor número posible. ＿＿＿＿＿

9. Escribe dos números que estén entre el número menor y el mayor.

＿＿＿＿＿＿＿＿＿＿   ＿＿＿＿＿＿＿＿＿＿

El 7 en 7,462 indica 7 ___*millares*___ o sea, ___*7,000*___.

10. El 4 en 64,308 indica 4 ＿＿＿＿＿＿＿ o sea, ＿＿＿＿＿.

11. El 5 en 53,789 indica 5 ＿＿＿＿＿＿＿＿＿ o sea, ＿＿＿＿＿.

12. El 0 en 76,809 indica 0 ＿＿＿＿ o sea, ＿＿＿.

Escribe los números que faltan.

13.

50,100   ＿＿＿＿＿   ＿＿＿＿＿   53,100

Comparar áreas de los continentes

Nota a la familia

Su hijo o hija ha estado practicando cómo leer y escribir números de 6 y 7 dígitos. Use la gráfica circular para ayudarle a contestar las preguntas sobre los continentes. Pídale a su hijo o hija que le lea en voz alta cada una de las áreas. Sugiera redondear las áreas al millón más cercano cuando haga las comparaciones de los problemas 5 a 7. Recuerde que usar números en los millones es una destreza nueva para su hijo o hija.

Por favor, devuelva este Vínculo con el hogar a la escuela mañana.

Usa la gráfica para contestar las preguntas.

1. ¿Cuántos continentes hay?

_____

2. ¿Qué continente tiene el área mayor?

_____

3. ¿Qué continente tiene el área menor?

_____

4. ¿Qué continentes tienen un área de entre 5 y 10 millones de millas cuadradas cada uno?

_____

_____

5. ¿Qué continente es aproximadamente 1 millón

de millas cuadradas más grande que Australia? _____

6. ¿Qué continente tiene un poco más de la mitad del tamaño

de Asia? _____

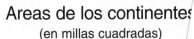

Areas de los continentes
(en millas cuadradas)

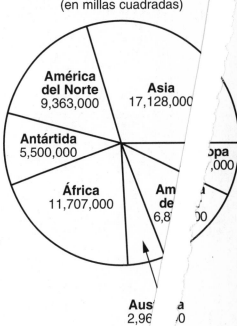

América del Norte
9,363,000

Asia
17,128,000

Antártida
5,500,000

África
11,707,000

opa
,000

Am   a
de
6,8   00

Aus   a
2,96   0

Destácate

7. ¿Qué continente tiene un poco menos del triple del tamaño de Europa? _____

Escribir y ordenar números

Nota a la familia

Observe y aliente a su hijo o hija mientras forma números de 4 dígitos usando los cuadrados con dígitos y luego anota los números y los escribe en orden de menor a mayor. Luego, escuche cuando se los lea en voz alta.

Por favor, devuelva este Vínculo con el hogar a la escuela mañana.

Recorta los cuadrados con dígitos. Dispónlos para formar números de 4 dígitos de tantas maneras diferentes como puedas. Anota cada número que formes. Luego, pon los números en orden de menor a mayor. Lee los números a alguien de tu casa.

Anota los números aquí:

_____

_____

_____

_____

_____

_____

Ordena los números aquí:

(menor)

_____

_____

_____

_____

_____

(mayor)

3

5

8

3

Historias con números grandes

Nota a la familia

Ayude a su hijo o hija a escribir una historia de suma y una de resta. Incluyan números grandes en ambas historias. Su hijo o hija ha estado trabajando con números grandes hasta los millones (7 dígitos), así que éste es un objetivo razonable. Sin embargo, está perfectamente bien si los niños inventan historias con números de 5 ó 6 dígitos.

Por favor, devuelva este Vínculo con el hogar a la escuela mañana.

Para cada historia de números, trata de pensar en grandes cantidades de cosas. Cuéntale las historias a alguien de tu casa. Si no sabes sumar o restar los números porque son demasiado grandes, usa una calculadora o pide ayuda a alguien de tu casa.

1. Escribe una historia de números que se resuelva sumando.   **Espacio para trabajar**

_____

_____

_____

_____

_____

Respuesta: _____
                        (unidad)

2. Escribe una historia de números que se resuelva restando.

_____

_____

_____

_____

_____

Respuesta: _____
                        (unidad)

Comprender los decimales

Nota a la familia

Su hijo o hija ha trabajado con cuadrículas como las que aparecen más abajo para entender el significado de los decimales. La cuadrícula está formada por 100 cuadrados. Cada cuadrado es $\frac{1}{100}$ ó 0.01 de la cuadrícula. Diez cuadrados son $\frac{1}{10}$ ó 0.10 de la cuadrícula. 0.8 se lee "ocho décimas". 0.04 se lee "cuatro centésimas". 0.53 se lee "cincuenta y tres centésimas".

Por favor, devuelva este Vínculo con el hogar a la escuela mañana.

Si la cuadrícula es una UNIDAD, entonces, ¿qué parte de cada cuadrícula está sombreada? Escribe un decimal y una fracción debajo de cada cuadrícula.

1.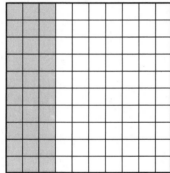

fracción: _____

decimal: _____

2.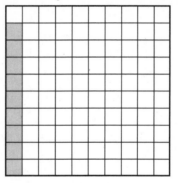

fracción: _____

decimal: _____

3.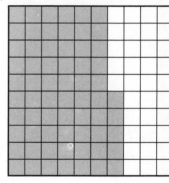

fracción: _____

decimal: _____

4. ¿Qué decimal es mayor? Usa las cuadrículas como ayuda.

0.3 ó 0.09 _____   0.09 ó 0.65 _____   0.3 ó 0.65 _____

5. Colorea 0.8 de la cuadrícula.

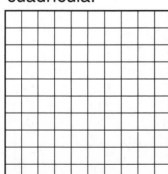

6. Colorea 0.04 de la cuadrícula.

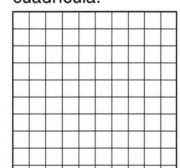

7. Colorea 0.53 de la cuadrícula.

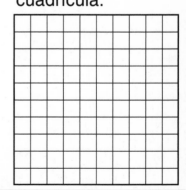

8. Escribe 0.8, 0.04 y 0.53 en orden de menor a mayor.

Usa las cuadrículas como ayuda. _____ _____ _____

Décimas y centésimas

Nota a la familia

Su hijo o hija sigue trabajando con decimales, ahora con décimas y centésimas. Si le resulta difícil continuar los patrones de los problemas 8 a 11, sugiérale que piense en relación con la notación de dólares y centavos. Por ejemplo: $0.07 (7 centavos), $0.08 (8 centavos), $0.09 (9 centavos), $0.10 (10 centavos) y así sucesivamente.

Por favor, devuelva este Vínculo con el hogar a la escuela mañana.

Escribe lo que muestra cada diagrama.

1.

_____ centésimas

__ décimas __ centésimas

2.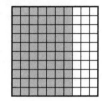

_____ centésimas

__ décimas __ centésimas

3.

_____ centésimas

__ décimas __ centésimas

Escribe las palabras en forma de números decimales.

4. veintitrés centésimas

_____

5. ocho con cuatro décimas

_____

6. treinta con veinte centésimas

_____

7. cinco centésimas

_____

Continúa cada patrón.

8. 0.1, 0.2, 0.3, _____, _____, _____

9. 0.01, 0.02, 0.03, _____, _____, _____

10. 0.70, 0.80, 0.90, _____, _____, _____

11. 0.07, 0.08, 0.09, _____, _____, _____

Escribe cada decimal en palabras.

12. 0.12 _____

13. 6.1 _____

Practicar con decimales

Nota a la familia

Su hijo o hija ha practicado la notación decimal para usar en mediciones métricas y también ha practicado la conversión de centímetros a metros. Las equivalencias siguientes le servirán para ayudar a su hijo o hija a resolver los problemas 10 a 13: 1 cm = 10 mm, 1 m = 100 cm, 1 m = 1,000 mm.

Por favor, devuelva este Vínculo con el hogar a la escuela mañana.

Escribe los números que faltan.

1.

0   0.01   0.08

2.

0.05   0.06   0.12

3.

0.7   1.5

Encierra en un círculo el decimal mayor.

4. 0.6 ó 0.14   **5.** 0.07 ó 0.4   **6.** 0.17 ó 0.03

7. 0.53 ó 0.35   **8.** 0.05 ó 0.2   **9.** 0.4 ó 0.99

Sigue estas instrucciones en la regla de abajo.

10. Haz un punto en 7 cm y márcalo con la letra *A*.

11. Haz un punto en 90 mm y márcalo con la letra *B*.

12. Haz un punto en 0.13 m y márcalo con la letra *C*.

13. Haz un punto en 0.06 m y márcalo con la letra *D*.

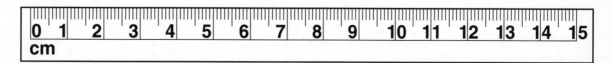

Medir con milímetros

Nota a la familia

Su hijo o hija ha estado usando milímetros para aprender acerca del valor posicional de los decimales. Esta página ofrece una manera de practicar con milímetros y otras medidas métricas. Pídale a su hijo o hija que dibuje la termita y que use la regla para contestar las preguntas de la página.

Por favor, devuelva este Vínculo con el hogar a la escuela mañana.

Imagina que tienes una jarra llena de termitas. Cada una mide 5 milímetros de largo. Decides hacer una cadena de termitas colocándolas en fila sobre una regla de un metro.

Termita reina de tamaño superior al real

1. Dibuja una termita en la regla que hay más abajo.

2. ¿Cuántas termitas cabrían en

    a. 1 centímetro? _____   **b.** 5 centímetros? _____

    c. 10 centímetros? _____   **d.** 50 centímetros? _____

    e. la regla de un metro entera?   **f.** 3 reglas de un metro?

    _____   _____

3. ¿Cuál sería la longitud de una cadena de 60 termitas?

    a. _____ centímetros   **b.** _____ metros   **c.** _____ milímetros

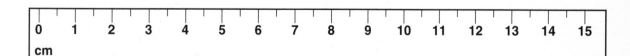

Comparar decimales

Nota a la familia

Pídale a su hijo o hija que lea los decimales en voz alta. Si le resulta difícil, sugiérale que use el método siguiente:

1. Leer la parte del número entero
2. Decir "con" para el punto decimal
3. Leer los dígitos que hay después del punto decimal como si formaran su propio número
4. Decir "décimas", "centésimas" o "milésimas", según corresponda

Por favor, devuelva este Vínculo con el hogar a la escuela mañana.

Escribe <, > ó =.

> significa "es mayor que"
< significa "es menor que

1. 2.35 _____ 2.57   **2.** 1.008 _____ 1.8

3. 0.64 _____ 0.46   **4.** 0.90 _____ 0.9   **5.** 42.1 _____ 42.09

6. 7.098 _____ 7.542   **7.** 0.4 _____ 0.400   **8.** 0.206 _____ 0.214

Ejemplo: El 4 en 0.47 indica 4 <u>décimas</u> o sea, <u>0.4</u>.

9. El 9 en 4.59 indica 9 _____ o sea, _____.

10. El 3 en 3.62 indica 3 _____ o sea, _____.

11. El 8 en 5.028 indica 8 _____ o sea, _____.

Continúa cada patrón numérico.

12. 6.56, 6.57, 6.58, _____, _____, _____

13. 0.73, 0.83, 0.93, _____, _____, _____

14. 3.006, 3.007, 3.008, _____, _____, _____

Escribe el número que sea 0.1 más.

15. 4.3 _____   **16.** 4.07 _____   **17.** 8.9 _____   **18.** 5.93 _____

Escribe el número que sea 0.1 menos.

19. 8.2 _____   **20.** 5.63 _____   **21.** 3 _____   **22.** 7.1 _____

Introducir datos en una gráfica

**Nota a la
familia**

Su hijo o hija ha aprendido a hacer y leer gráficas lineales usando la
información sobre la duración del día que ha recopilado a lo largo del año. Se
trata de una nueva destreza, por lo que podría necesitar ayuda al introducir los
datos en la gráfica. Ayude a su hijo o hija a darse cuenta de que el bebé crece
con rapidez al principio, pero luego crece más despacio. Recuérdele que los
adultos no cambian de tamaño durante el resto de sus vidas.

Por favor, devuelva este Vínculo con el hogar a la escuela mañana.

1. La tabla muestra cómo aumentó de peso Michael hasta su primer
cumpleaños. Marca puntos en la cuadrícula para hacer una gráfica del peso
del bebé. Usa una regla para conectar cada par de puntos consecutivos.

Edad (meses)	Peso (libras)
0	8
1	10
2	12
4	15
6	17
9	20
12	22

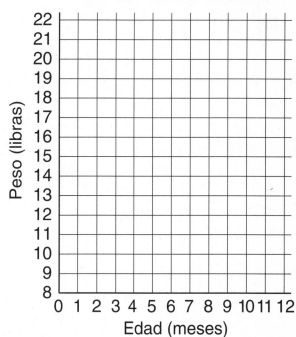

Peso del bebé Michael

2. ¿Por qué va en aumento la gráfica lineal?

_____

3. ¿Crees que la gráfica lineal seguirá subiendo para siempre?
Explica tu respuesta.

_____

_____

Carta a la familia

Unidad 6: Geometría

Matemáticas diarias usa las experiencias de los niños en el mundo real para ayudarlos a visualizar figuras tridimensionales. En grados anteriores, se les ha pedido a los niños que identifiquen figuras bidimensionales y sus partes, como las aristas y las esquinas (vértices). Ya experimentaron con bloques, geoplanos y plantillas. También clasificaron y denominaron polígonos, o sea, figuras cerradas que consisten en segmentos de recta (lados) conectados de extremo a extremo.

En la Unidad 6, los niños explorarán puntos, segmentos de recta, semirrectas y rectas, así como su relación entre sí, y también estudiarán las figuras geométricas que se pueden construir con ellos. Los niños construirán ángulos, polígonos, prismas y pirámides.

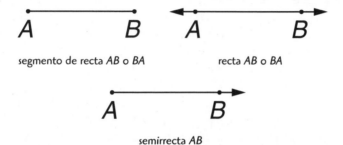

segmento de recta *AB* o *BA*   recta *AB* o *BA*

semirrecta *AB*

Los niños también explorarán las similitudes y diferencias que existen entre las figuras tridimensionales y los poliedros regulares en el contexto del Museo de figuras geométricas. Descubrirán ejemplos reales de rectas paralelas, o sea, rectas que jamás llegan a cruzarse, como las vías del tren.

Existe una gran cantidad de vocabulario especializado cuando se trabaja con geometría. Sin embargo, en esta unidad el énfasis no se pone en memorizar el vocabulario, sino en usarlo para examinar la relación entre las figuras geométricas y sus clasificaciones.

Por favor, guarde esta Carta a la familia como referencia mientras su hijo o hija trabaja en la Unidad 6.

Vocabulario

Términos importantes de la Unidad 6:

base Una superficie plana (cara) cuya forma determina la clasificación de algunos objetos tridimensionales.

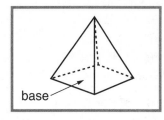

base

cara Superficie plana de una figura tridimensional.

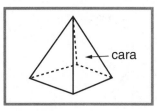

cara

cilindro Figura tridimensional de superficie curva y bases circulares paralelas y del mismo tamaño. Una lata es un objeto común con forma de cilindro.

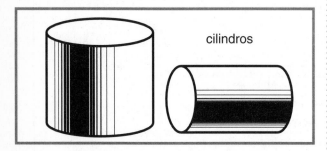

cilindros

cono Figura tridimensional de base circular, superficie curva y un vértice. El cono del helado es un objeto común con forma de cono.

cono

esfera Figura tridimensional cuya superficie curva está, en cualquier punto, a una distancia dada del punto central. Las pelotas tienen forma de esfera.

figura bidimensional Figura que se sustenta única y totalmente dentro de un plano o superficie plana.

esferas

figura tridimensional Objeto que no se sustenta por completo en una superficie plana, sino que tiene espesor, además de largo y ancho.

paralelo Que nunca llega a encontrarse; siempre separado por la misma distancia.

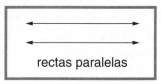

rectas paralelas

pirámide Poliedro una de cuyas caras (la base) es un polígono y las otras son triángulos con un vértice común. Las pirámides se clasifican según la forma de la base.

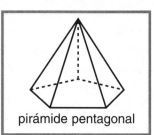

pirámide pentagonal

poliedro Figura tridimensional cuyas superficies (caras) son planas, en vez de curvas. Cada cara es un polígono. Abajo se muestran cinco poliedros regulares.

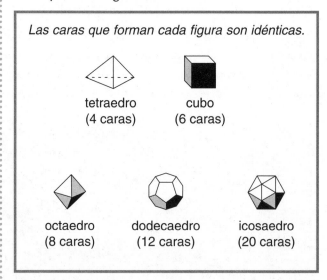

Las caras que forman cada figura son idénticas.

tetraedro
(4 caras)

cubo
(6 caras)

octaedro
(8 caras)

dodecaedro
(12 caras)

icosaedro
(20 caras)

prisma Poliedro con dos superficies planas paralelas (bases) del mismo tamaño y la misma forma. Los prismas se clasifican según la forma de las dos bases paralelas; los lados (caras) son paralelogramos.

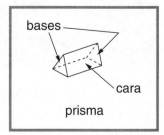

bases

cara

prisma

Actividades para hacer en cualquier ocasión

Para trabajar con su hijo o hija sobre los conceptos aprendidos en esta unidad y en las anteriores, hagan juntos estas interesantes y provechosas actividades:

1 Lean juntos el libro *The Greedy Triangle,* de Marilyn Burns.

2 Empiecen a hacer un Museo de figuras geométricas en casa. Rotulen las figuras que recopile su hijo o hija.

3 Pida a su hijo o hija que identifique figuras de dos y tres dimensiones que haya en la casa.

Desarrollar destrezas por medio de juegos

En la Unidad 6, su hijo o hija practicará destrezas de numeración, multiplicación y geometría a través de los siguientes juegos. Para instrucciones más detalladas, vea el *Libro de consulta del estudiante.*

Supera el número

A medida que los jugadores toman cada carta, tienen que decidir en qué casilla de valor posicional colocarla (de las unidades a las milésimas), para conseguir formar el número más grande.

Gánale a la calculadora

Una "calculadora" (un jugador que usa una calculadora para resolver el problema) y un "cerebro" (un jugador que resuelve el problema sin calculadora) compiten para ver quién será el primero en resolver problemas de multiplicación.

Béisbol de multiplicaciones

Los jugadores usan operaciones de multiplicación para meter carreras. Los miembros del equipo se turnan para "lanzar", tirando dos dados para obtener dos factores. Entonces, los jugadores del equipo de "bateadores" se turnan multiplicando los dos factores y diciendo el producto.

Competencia de ángulos

Los jugadores construyen ángulos con bandas elásticas y compiten para ver quién será el primero en completar el último ángulo exactamente en la marca de 360°.

Usar con la lección 5.13

Cuando ayude a su hijo o hija a hacer la tarea

Cuando su hijo o hija traiga tareas a casa, lean juntos y clarifiquen las instrucciones cuando sea
necesario. Las siguientes respuestas le servirán de guía para usar los Vínculos con el hogar de esta unidad.

Vínculo con el hogar 6.1

2.
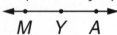
B   C

3.
T   O

4.
A   T

5.   Respuesta de ejemplo:
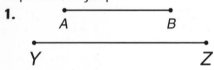
M   Y   A

Vínculo con el hogar 6.2

Respuestas de ejemplo:

1.
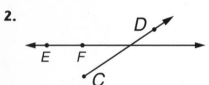
A   B
Y   Z

2.
D
E   F
C

3.
I
S   O
N

4.
A
M   Y   N

5.
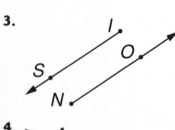
P
L   A
O

6.
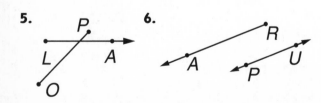
R
A
P   U

Vínculo con el hogar 6.5

1. iguales; ángulos rectos; paralelos

2. ángulos rectos; iguales; paralelos

3. iguales; paralelos

4. iguales; paralelos

5. iguales

Vínculo con el hogar 6.6

Respuestas de ejemplo:

1. 4; cometa; *XENA*   **2.** 6; hexágono; *JORDAN*

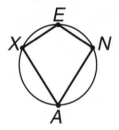
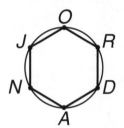

Vínculo con el hogar 6.8

1. *A*   **2.** *D*   **3.** *E*

4. *C* o *D*   **5.** *B*

Vínculo con el hogar 6.9

1. a. triángulo   **b.** 2 lados   **c.** 2 ángulos   **d.** no

2. a. cuadrado   **b.** sí

Vínculo con el hogar 6.11

1. (de izquierda a derecha) prisma; esfera; cilindro;
cono; pirámide

Vínculo con el hogar 6.12

1. prisma pentagonal   **2.** pentágono

3. rectángulo   **4.** 15 aristas

5. 10 vértices

Segmentos de recta, semirrectas y rectas

Nota a la familia

Ayude a su hijo o hija a asociar cada nombre con el dibujo correspondiente de una recta, semirrecta o segmento de recta. Luego, observe cómo usa la regla para dibujar más figuras. En las páginas 88 y 89 del *Libro de consulta del estudiante* se comentan estas figuras.

Por favor, devuelva este Vínculo con el hogar a la escuela mañana.

Este segmento de recta se puede denominar $\overline{AB}$ o $\overline{BA}$.

Cada una de estas semirrectas se puede denominar $\overrightarrow{YZ}$.

Esta recta se puede denominar $\overleftrightarrow{AB}$, $\overleftrightarrow{BA}$, $\overleftrightarrow{AC}$, $\overleftrightarrow{CA}$, $\overleftrightarrow{BC}$ o $\overleftrightarrow{CB}$.

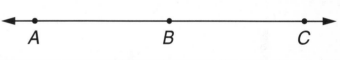

1. Empareja cada dibujo de abajo con uno de los nombres.

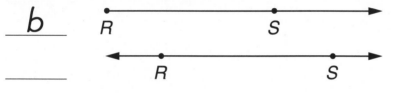

_____ b _____   R ———————— S

a. $\overline{TS}$

_____   R ———————— S

b. $\overrightarrow{RS}$

_____   R ———————— S

c. $\overleftrightarrow{TS}$

_____   S ———————— T

d. $\overrightarrow{SR}$

_____   R —— S —— T

e. $\overleftrightarrow{RS}$

Sigue las instrucciones con cuidado. Usa una regla.

2. Marca los puntos *B* y *C*. Traza un segmento de recta $\overline{BC}$.

3. Traza una semirrecta $\overrightarrow{TO}$.

4. Traza una recta $\overleftrightarrow{AT}$.

5. Traza una recta $\overleftrightarrow{MY}$. Marca un punto, *A*, en la recta.

Más segmentos de recta, semirrectas y rectas

Nota a la familia

Consulte las notaciones siguientes para ayudar a su hijo o hija a trazar y rotular segmentos de recta, semirrectas y rectas.

segmento de recta AB	$\overline{AB}$	•———• A B
semirrecta BA	$\overrightarrow{BA}$	◄——•———• A B
recta AB	$\overleftrightarrow{AB}$	◄——•———•——► A B

Por favor, devuelva este Vínculo con el hogar a la escuela mañana.

Usa la regla y un lápiz afilado para los siguientes problemas. Asegúrate de marcar los puntos y rotular los segmentos de recta, semirrectas y rectas.

1. Traza un segmento de recta, $\overline{YZ}$, que sea paralelo a $\overline{AB}$.

A   B

2. Traza una semirrecta, $\overrightarrow{CD}$, que se interseque con $\overleftrightarrow{EF}$.

E   F

3. Traza dos semirrectas paralelas, $\overrightarrow{IS}$ y $\overrightarrow{NO}$.

4. Traza dos rectas secantes, $\overleftrightarrow{MY}$ y $\overleftrightarrow{AN}$.

5. Traza un segmento de recta y una semirrecta, $\overline{PO}$ y $\overrightarrow{LA}$, que se intersequen.

6. Traza una recta, $\overleftrightarrow{PU}$, paralela a la semirrecta $\overrightarrow{RA}$.

Ángulos rectos

Nota a la familia

Nuestra clase ha estado estudiando las rectas secantes y, más recientemente, rectas que se intersecan formando ángulos rectos. Ayude a su hijo o hija a encontrar objetos que tengan esquinas cuadradas o ángulos rectos, tales como mesas, cuadros, el mostrador de la cocina, un libro, etc.

Por favor, devuelva este Vínculo con el hogar a la escuela mañana.

Busca 4 objetos en tu casa que tengan ángulos rectos (esquinas cuadradas).

A continuación, describe o haz un dibujo de cada uno de estos objetos. Trae tus descripciones o tus dibujos a la escuela para incluirlos en La caza geométrica.

Triángulos

Nota a la familia

Su hijo o hija ha aprendido las propiedades de los triángulos. Observe cómo usa la regla para dibujar triángulos conectando 3 puntos con 3 segmentos de recta. Luego, ayude a su hijo o hija a usar la regla para medir los lados de los triángulos 1 a 3.

Por favor, devuelva este Vínculo con el hogar a la escuela mañana.

Muestra a alguien cómo dibujar un triángulo. En cada problema, conecta los 3 puntos con 3 segmentos de recta. Mide los lados para averiguar si los triángulos 1 a 3 son correctos. Si no tienes regla, recorta y usa la de la derecha.

1. triángulo equilátero

A •

B •   • C

Todos los lados y ángulos son iguales.

2. triángulo isósceles

D •

F •   • E

Dos lados son iguales.

3. triángulo escaleno

•G

I •

     •H

Ningún lado es igual.

4. triángulo rectángulo

• K

J •   •L

Tiene un ángulo recto ($\frac{1}{4}$ de giro).

5. triángulo obtusángulo

M •

    •O

N•

Tiene un ángulo mayor que un ángulo recto.

6. triángulo acutángulo

P •

    •Q

R•

Todos los ángulos son menores que un ángulo recto.

15 14 13 12 11 10 9 8 7 6 5 4 3 2 1 0 cm

Cuadrángulos

Nota a la familia

Ayude a su hijo o hija a completar las oraciones. Un *ángulo recto* es una esquina cuadrada. *Lados paralelos* son lados separados por la misma distancia, que jamás llegarán a encontrarse por más que se extiendan. *Lados opuestos* son los que están uno enfrente del otro. *Lados adyacentes* son lados que convergen en un vértice.

Por favor, devuelva este Vínculo con el hogar a la escuela mañana.

Usa los términos: **iguales   paralelos   ángulos rectos**

1. Cuadrado

Todos los lados son _____ en longitud.

Todos los ángulos son _____.

Los lados opuestos son _____ entre sí.

2. Rectángulo (El cuadrado es un tipo especial de rectángulo.)

Todos los ángulos son _____.

Ambos pares de lados opuestos son _____

en longitud y _____ entre sí.

3. Rombo (Los cuadrados tienen la misma forma.)

Todos los lados son _____ en longitud.

Los lados opuestos son _____ entre sí.

4. Paralelogramo (incluyendo cuadrados y rombos)

Los lados opuestos son _____ en longitud.

Los lados opuestos son _____ entre sí.

5. Cometa

Los lados adyacentes, no así los lados

opuestos, son _____ en longitud.

Denominar polígonos

Nota a la familia

Nuestra clase ha estado denominando polígonos. Para esta actividad ayude a su hijo o hija a pensar en nombres con diferente número de letras, para que dibuje polígonos y les ponga nombre.

Por favor, devuelva este Vínculo con el hogar a la escuela mañana.

Piensa en nombres que tengan letras *diferentes.* Usa las letras para darle un nombre a cada punto en los círculos. Luego, usa un lápiz y una regla para conectar los puntos y formar un polígono. Cuenta el número de lados. Denomina el polígono.

Ejemplo

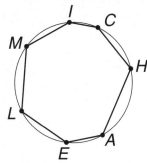

Este polígono tiene _____7_____ lados.

Este polígono es un _*heptágono*_.

Se llama __*MICHAEL*__.

1.

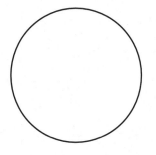

Este polígono tiene_____ lados.

Este polígono es un _____.

Se llama _____.

2.

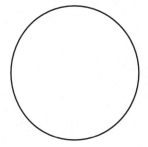

Este polígono tiene_____ lados.

Este polígono es un _____.

Se llama _____.

3. Traza más círculos y polígonos en el reverso de esta hoja. ¿Por qué crees que cada una de las letras en un polígono se puede usar sólo una vez?

© 2002 Everyday Learning Corporation

Giros

Nota a la familia

Si su hijo o hija necesita ayuda con los problemas siguientes, podría colocar carteles que indiquen las direcciones *norte, sur, este* y *oeste* en una habitación de su casa. Camine con su hijo o hija y haga los giros necesarios. Use un reloj para ayudarle a determinar qué dirección seguir en el sentido de las manecillas del reloj y cuál en sentido opuesto a las manecillas del reloj.

Por favor, devuelva este Vínculo con el hogar a la escuela mañana.

Gira según las indicaciones a continuación. Muestra hacia dónde miras después de cada giro.

- Traza un punto en el círculo.
- Rotula el punto con una letra.

Ejemplo Mira hacia el norte.

Haz $\frac{1}{2}$ giro en sentido opuesto a las manecillas del reloj.

En el círculo, marca hacia dónde estás mirando con la letra *A*.

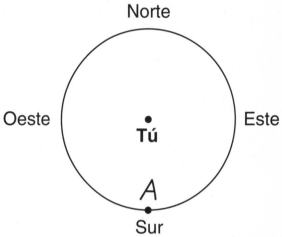

1. Mira hacia el norte. Haz $\frac{1}{4}$ de giro en el sentido de las manecillas del reloj. Marca hacia dónde estás mirando con la letra *B*.

2. Mira hacia el norte. Haz $\frac{3}{4}$ de giro en el sentido de las manecillas del reloj. Marca hacia dónde estás mirando con la letra *C*.

3. Mira hacia el este. Haz $\frac{1}{4}$ de giro en sentido opuesto a las manecillas del reloj. Marca hacia dónde estás mirando con la letra *D*.

4. Mira hacia el oeste. Haz menos que $\frac{1}{4}$ de giro en el sentido de las manecillas del reloj. Marca hacia dónde estás mirando con la letra *E*.

5. Mira hacia el norte. Haz más que $\frac{1}{2}$ giro, pero menos que $\frac{3}{4}$ de giro en el sentido de las manecillas del reloj. Marca hacia dónde estás mirando con la letra *F*.

6. Mira hacia el norte. Haz menos que $\frac{1}{2}$ giro pero más que $\frac{1}{4}$ de giro en sentido opuesto a las manecillas del reloj. Marca hacia dónde estás mirando con la letra *G*.

Medidas en grados

Nota a la familia

Nuestra clase ha estado estudiando giros, ángulos y medidas angulares. Hemos visto que un giro completo se puede representar por un ángulo de 360°, $\frac{1}{2}$ giro por un ángulo de 180°, $\frac{1}{4}$ de giro por un ángulo de 90°, etc. Ayude a su hijo o hija a asociar las medidas con los ángulos dibujados más abajo. No hace falta medir los ángulos con el transportador.

Por favor, devuelva este Vínculo con el hogar a la escuela mañana.

Di cuál de los ángulos tiene cada medida.

Rotación	Grados
$\frac{1}{4}$ de giro	90°
$\frac{1}{2}$ giro	180°
$\frac{3}{4}$ de giro	270°
giro completo	360°

1. cerca de 180°   ángulo _____

2. cerca de 90°   ángulo _____

3. cerca de 270°   ángulo _____

4. entre 0° y 90°   ángulo _____

5. entre 90° y 180°   ángulo _____

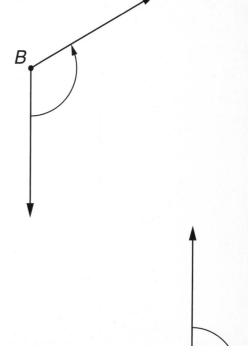

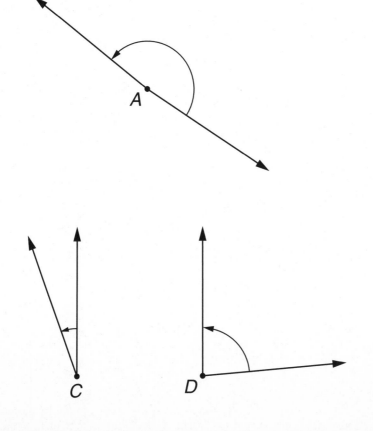

Figuras simétricas

Nota a la familia

Nuestra clase ha estado estudiando los ejes de simetría: ejes que dividen figuras en partes iguales. Ayude a su hijo o hija a buscar figuras simétricas en libros, periódicos y revistas, y en objetos que haya por casa, como ventanas, muebles, platos, etc.

Por favor, devuelva este Vínculo con el hogar a la escuela mañana.

---

1. Dobla una hoja de papel por la mitad. Recorta la esquina doblada, tal como se muestra a la derecha. Antes de desdoblar el recorte, adivina su forma.

a. Desdobla el recorte.

¿Qué forma tiene? _____

b. ¿Cuántos lados de la figura recortada tienen la misma longitud?

_____

c. ¿Cuántos ángulos son del mismo tamaño? _____

d. El doblez es un eje de simetría. ¿Hay algún otro eje de simetría

en el recorte? _____

---

2. Dobla una hoja de papel por la mitad. Dóblala otra vez. Haz una marca en ambos bordes doblados a 2 pulgadas de la esquina doblada. Recorta la esquina doblada. Antes de desdoblar el recorte, adivina su forma.

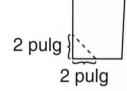

2 pulg

2 pulg

a. Desdobla el recorte. ¿Qué forma tiene? _____

b. ¿Hay otros ejes de simetría, aparte de los ejes del doblez? _____

c. Haz un dibujo de la figura recortada. Dibuja todos sus ejes de simetría.

Figuras congruentes

Nota a la familia

Si a su hijo o hija le cuesta determinar a simple vista qué figuras son congruentes, sugiérale que recorte la primera figura. Así, él o ella podrá girar la figura o invertirla hasta hallar la figura congruente.

Por favor, devuelva este Vínculo con el hogar a la escuela mañana.

Dos figuras que tienen exactamente el mismo tamaño y la misma forma se llaman figuras **congruentes.** En cada uno de los siguientes problemas, encierra en un círculo la figura o figuras que sean congruentes con la primera figura. Explica a alguien de tu casa por qué la otra o las otras figuras *no* son congruentes con la primera.

1.

2.

3.

Figuras tridimensionales

Nota a la familia

Pida a su hijo o hija que identifique figuras tridimensionales. Luego, ayúdele a buscar objetos tridimensionales (o dibujos de objetos) que haya en casa para que los traiga a la escuela. En las páginas 102 a 106 del *Libro de consulta del estudiante* se comentan las figuras tridimensionales.

Por favor, devuelva este Vínculo con el hogar a la escuela mañana.

1. Identifica los dibujos de las figuras tridimensionales que aparecen abajo. Usa estas palabras: *cono, prisma, pirámide, cilindro* y *esfera.*

    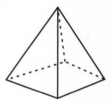

_____ _____ _____ _____ _____

2. Busca objetos o dibujos de objetos que tengan forma de cono, prisma, pirámide, cilindro y esfera por tu casa. Pide permiso para traer algunos de esos objetos o dibujos a la escuela para compartirlos con la clase. Haz dibujos o una lista de las figuras que encontraste.

_____

_____

_____

_____

3. Explica a alguien de tu casa las diferencias entre figuras bidimensionales y figuras tridimensionales.

 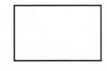   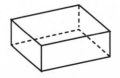

bidimensional   tridimensional   bidimensional   tridimensional

Hacer un cuerpo geométrico

Nota a la familia

Nuestra clase ha estado explorando las características y partes de varias figuras tridimensionales, particularmente los prismas. El patrón de esta página se puede usar para hacer uno de los tipos más comunes de prisma. Los prismas se clasifican según la forma de su *base*.

Por favor, devuelva este Vínculo con el hogar a la escuela mañana.

Recorta por las líneas discontinuas. Dobla por las líneas de puntos. Pega cada solapa por dentro o por fuera de la figura, con cinta adhesiva o pegamento.

Comenta las siguientes preguntas con alguien de tu casa:

1. ¿Cómo se llama esta figura tridimensional? _____

2. ¿Qué forma tiene la base? _____

3. ¿Qué forma tienen las otras caras? _____

4. ¿Cuántas aristas tiene la figura? _____

5. ¿Cuántos vértices tiene la figura? _____

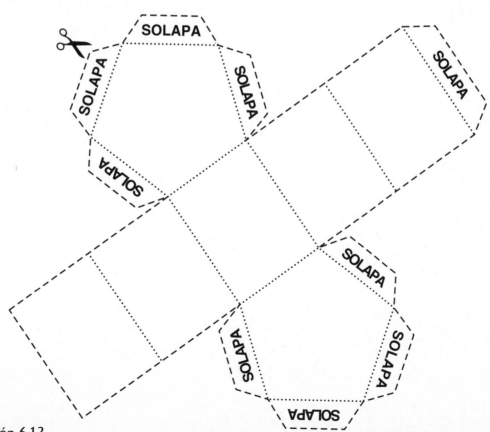

Carta a la familia

Unidad 7: Multiplicación y división

En la Unidad 7, los niños se concentrarán en memorizar las operaciones básicas de multiplicación y división. Muchas de las estrategias que se usaron en grados anteriores para la suma y la resta, se usarán asimismo para la multiplicación y la división.

Los niños repasarán: la multiplicación por 0, por 1 y por 10; las operaciones de multiplicación con productos cuadrados, como $5 \times 5 = 25$ y $2 \times 2 = 4$; y la regla del orden inverso, que muestra que $2 \times 5 = 10$ es lo mismo que $5 \times 2 = 10$.

Los niños también continuarán trabajando con familias de operaciones y Triángulos de operaciones, a medida que aprenden las operaciones de multiplicación y división.

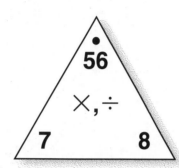

$$7 \times 8 = 56$$
$$8 \times 7 = 56$$
$$56 \div 7 = 8$$
$$56 \div 8 = 7$$

Familia de operaciones de
los números 7, 8 y 56

Triángulo de operaciones

El objetivo a largo plazo es que los niños memoricen todas las operaciones básicas de aritmética antes de finalizar el año. Le rogamos que recuerde que, aunque su hijo o hija está haciendo progresos, es posible que aún tenga dificultades con algunas operaciones. Hasta que su hijo o hija haya memorizado todas las operaciones necesarias para resolver un problema en particular, continúe sugiriéndole que trate de encontrar la respuesta por cualquier otro medio que se le ocurra.

Por favor, guarde esta Carta a la familia como referencia mientras su hijo o hija trabaja en la Unidad 7.

$$0 \times 9 = 0$$
$$2 \times 2 = 4$$
$$3 \times 10 = 30$$
$$2 \times 1 = 2$$

Vocabulario

Términos importantes de la Unidad 7:

estimación El cálculo de una respuesta aproximada, si bien no exacta; un número cercano a otro número.

factores Los números que se multiplican.

$$4 \times 3 = 12$$

factores ———↑   ↑   ↑——— producto

matriz Una disposición rectangular de objetos en filas y columnas.

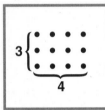

matriz de 3 por 4

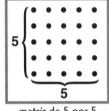

matriz de 5 por 5

múltiplo de un número El producto de ese número multiplicado por un número entero. Por ejemplo: 18 es múltiplo de 6 porque $6 \times 3 = 18$.

número cuadrado Un número que es el producto de un número multiplicado por sí mismo; un número que se puede representar con una matriz cuadrada. Por ejemplo: $5 \times 5 = 25$ forma una matriz cuadrada; por lo tanto, 25 es un número cuadrado.

producto El resultado de la multiplicación.

Desarrollar destrezas por medio de juegos

En la Unidad 7, su hijo o hija practicará destrezas de multiplicación y división a través de los siguientes juegos. Para instrucciones más detalladas, vea el *Libro de consulta del estudiante.*

Béisbol de multiplicaciones

Los jugadores usan operaciones de multiplicación para meter carreras. Los miembros del equipo se turnan para "lanzar", tirando dos dados para obtener dos factores. Luego, los jugadores del equipo de "bateadores" se turnan multiplicando los dos factores y diciendo el producto.

Bingo de multiplicaciones

Los jugadores se turnan diciendo en voz alta el producto de dos números. Si ese número aparece en sus tarjetas de *Bingo de multiplicaciones,* ponen un *penny* sobre ese número. El primer jugador en conseguir colocar 4 *pennies* en una fila, columna o diagonal grita "¡Bingo!" y gana la partida.

Supera el número (3 posiciones decimales)

A medida que los jugadores toman cada carta, tienen que decidir en qué casilla de valor posicional colocarla (de las unidades a las milésimas), para conseguir formar el número más grande.

Actividades para hacer en cualquier ocasión

Para trabajar con su hijo o hija sobre los conceptos aprendidos en esta unidad y en las anteriores, hagan juntos estas interesantes y provechosas actividades:

1 Practiquen las operaciones de multiplicación con juegos y con los Triángulos de operaciones.

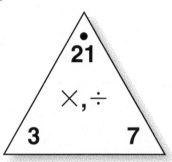

2 Pídale a su hijo o hija que cuente salteado.
Por ejemplo: "Empieza en cero y cuenta de 6 en 6".

3 Presente a su hijo o hija problemas en que faltan factores para practicar la multiplicación.
Por ejemplo: "¿6 multiplicado por qué número es igual a 18?"

4 Haga preguntas que traten sobre compartir en partes iguales.
Por ejemplo: "Ocho niños comparten 64 libros. ¿Cuántos libros le tocan a cada niño?"

5 Haga preguntas que traten sobre grupos iguales.
Por ejemplo: "Se guardan unos lápices en cajas de 8. Hay 3 cajas. ¿Cuántos lápices hay en total?"

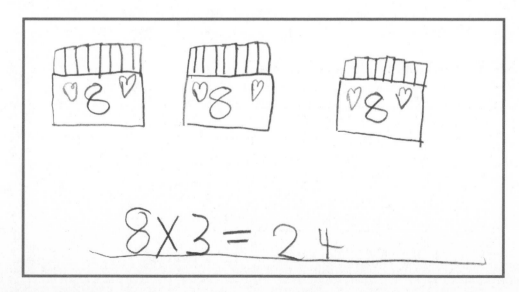

Cuando ayude a su hijo o hija a hacer la tarea

Cuando su hijo o hija traiga tarea a casa, lean juntos y clarifiquen las instrucciones. Las respuestas siguientes le servirán de guía para usar los Vínculos con el hogar de esta unidad.

Vínculo con el hogar 7.2

1.

Factor	Factor	Producto
3	5	15
7	2	14
4	10	40
8	8	64
9	5	45
4	8	32
864	1	864
10	10	100
0	999	0
1	48	48
7	7	49
243	0	0

Vínculo con el hogar 7.4

1. $(17 - 10) + 3 = 10$ **2.** $17 - (10 + 3) = 4$

3. $(26 - 7) \times 2 = 38$ **4.** $26 - (7 \times 2) = 12$

5. $(24 - 17) - 6 = 1$ **6.** $24 - (17 - 6) = 13$

7. $3 \times (6 + 13) = 57$ **8.** $(3 \times 6) + 13 = 31$

10. Los paréntesis están mal puestos. El modelo numérico debería ser $(8 \times 4) + 4 = 36$

Vínculo con el hogar 7.5

Marcar 15 puntos de baloncesto

Respuestas posibles:

Número de canastas de 3 puntos	Número de canastas de 2 puntos	Número de canastas de 1 punto	Modelos numéricos
5	0	0	$(5 \times 3) + (0 \times 2) + (0 \times 1) = 15$
0	5	5	$(0 \times 3) + (5 \times 2) + (5 \times 1) = 15$
3	3	0	$(3 \times 3) + (3 \times 2) + (0 \times 1) = 15$
4	0	3	$(4 \times 3) + (0 \times 2) + (3 \times 1) = 15$
2	3	3	$(2 \times 3) + (3 \times 2) + (3 \times 1) = 15$
1	6	0	$(1 \times 3) + (6 \times 2) + (0 \times 1) = 15$

Vínculo con el hogar 7.6

1. $8 \times 200 = 1{,}600$ **2.** $9 \times 30 = 270$

$200 \times 8 = 1{,}600$ $30 \times 9 = 270$

$1{,}600 \div 8 = 200$ $270 \div 9 = 30$

$1{,}600 \div 200 = 8$ $270 \div 30 = 9$

3. $6 \times 40 = 240$

$40 \times 6 = 240$

$240 \div 6 = 40$

$240 \div 40 = 6$

Vínculo con el hogar 7.7

2. b. 1,750   **c.** 1,251   **f.** 515   **g.** 614

i. 522

Vínculo con el hogar 7.8

5. a. 1,200   **b.** 1,400   **c.** 400   **d.** 800

e. 2,000   **f.** 200   **g.** 2,000   **h.** 1,000

i. 0   Total = 9,000

Respuestas posibles:

6. a. 10×10 **b.** 3×50

c. 30×3 **d.** 40×4

a	b	
100 + 150		= 250

c	d	
90 + 160		= 250

Total: 500

Vínculo con el hogar 7.9

Números misteriosos:

100; 199; 70; 44; 1,000; y 998

¿Dónde está la salida?

Nota a la familia

Hoy su hijo o hija exploró patrones de los productos cuadrados, como 3 × 3 y 4 × 4. La actividad siguiente permite practicar cómo identificar productos cuadrados. Pida a su hijo o hija que empiece en el dibujo del Minotauro y use un lápiz para poder borrar los giros incorrectos. Si su hijo o hija encuentra esta actividad demasiado difícil, sugiera que marque cada producto cuadrado antes de tratar de encontrar el camino.

Por favor, devuelva este Vínculo con el hogar a la escuela mañana.

Según la mitología griega, existía un monstruo llamado Minotauro que tenía cabeza de toro y cuerpo de hombre. El rey hizo construir una morada en forma de **laberinto,** para que el Minotauro no pudiera escapar. El laberinto tenía muchas habitaciones y pasadizos que formaban un rompecabezas. Todo aquél que entraba no podía encontrar la salida sin ayuda. Un día, un héroe griego llamado Teseo decidió matar al monstruo. Para encontrar la salida del laberinto, su amiga, Ariadna, le dio un collar de perlas larguísimo que él fue soltando a medida que recorría los pasadizos. Después de matar al Minotauro, Teseo siguió las perlas para escapar.

Imagina que eres Teseo. Para encontrar la salida, vas a atravesar sólo las habitaciones numeradas con productos cuadrados. Empieza en los aposentos del Minotauro y dibuja el camino hasta la salida.

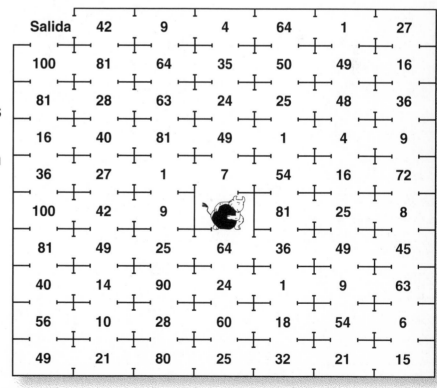

Factores y productos

Nota a la familia

Pida a su hijo o hija que le explique lo que son los factores y los productos antes de escribir las respuestas en la tabla. Luego, escuche lo que su hijo o hija le va a explicar sobre multiplicar por 1, multiplicar por 0 y multiplicar números cuadrados. Los Triángulos de operaciones para el resto de las operaciones de multiplicación y división se incluyen con este Vínculo con el hogar.

Por favor, devuelva este Vínculo con el hogar a la escuela mañana.

1. Explica a alguien de tu casa qué son los factores y los productos. Halla los productos y factores que faltan en la tabla.

Factor	Factor	Producto
3	5	15
7		14
4	10	
8	8	
9		45
	8	32
864	1	864
10		100
0	999	
	48	48
7	7	
243		0

2. Explícale lo que sabes acerca de los productos cuando multiplicas por 1.

3. Explícale lo que sabes acerca de los productos cuando multiplicas por 0.

4. Explícale todo lo que sabes acerca de las operaciones con números cuadrados.

Bingo de multiplicaciones (Operaciones fáciles)

Nota a la familia

Hoy la clase aprendió a jugar al *Bingo de multiplicaciones*. Este juego es una buena manera de practicar la multiplicación. Pídale a su hijo o hija que le explique cómo se juega; luego, jueguen un par de partidas. Cuando su hijo o hija sepa operaciones más difíciles, use las tarjetas y la lista de números de la página siguiente. Sugiérale que anote las operaciones donde se equivoca.

Materiales
- ❏ tarjetas de números del 1 al 6 y el 10 (4 de cada uno)
- ❏ 8 *pennies* o fichas para cada jugador
- ❏ tablero para cada jugador

Jugadores   2 ó 3

Instrucciones

1. Escribe cada uno de los números siguientes en cualquier orden en los cuadrados del tablero: 1, 4, 6, 8, 9, 12, 15, 16, 18, 20, 24, 25, 30, 36, 50, 100.

2. Baraja las cartas. Colócalas boca abajo sobre la mesa.

3. Los jugadores deberán turnarse. Cuando sea tu turno, toma las dos cartas de arriba y di el producto de los dos números. Si los otros jugadores no están de acuerdo con tu respuesta, hay que comprobar con una calculadora.

4. Si tu respuesta es correcta y el producto es un número que está en tu cuadrícula, pon allí una moneda.

5. Si te equivocas, pierdes el turno.

6. El primer jugador en conseguir 4 fichas en fila, columna o diagonal, o bien 8 fichas en el tablero, grita "¡Bingo!" y gana la partida.

   Si se usan todas las cartas antes de que alguien gane, se barajan las cartas y se continúa jugando.

Bingo de multiplicaciones (Todas las operaciones)

Sigue las mismas reglas del *Bingo de multiplicaciones,* con las siguientes excepciones:

- Usa una baraja con tarjetas de números del 2 al 9 (4 de cada uno).

- Escribe cada número de la lista en los cuadrados de la cuadrícula. Mézclalos.

- No escribas los números en orden.

Lista de números

24	35	48	63
27	36	49	64
28	42	54	72
32	45	56	81

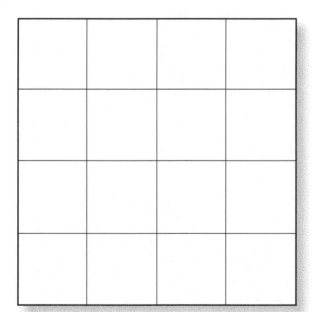

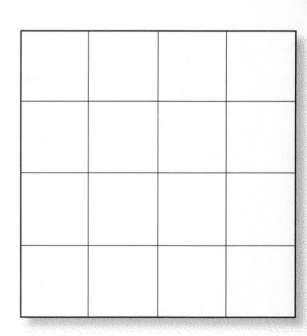

Haz una lista de las operaciones que contestes erróneamente. Practícalas en tu tiempo libre.

_____   _____   _____

_____   _____   _____

_____   _____   _____

_____   _____   _____

Rompecabezas con paréntesis

Nota a la familia

Observe a su hijo o hija cuando añada paréntesis y cuando explique qué se debe hacer primero en el modelo numérico del Ejercicio 1. Si su hijo o hija no es capaz de escribir un modelo numérico correcto para el problema de la sección Destácate, pregúntele cuántos regalos necesitaría Rivera para llenar 8 bolsas y cuántos necesitaría para poder hacer una bolsa más para Denise.

Por favor, devuelva este Vínculo con el hogar a la escuela mañana.

Enseña a alguien de tu casa cómo se añaden paréntesis para completar los modelos numéricos siguientes. Recuerda que los paréntesis se usan para indicar qué hacer primero.

1. $17 - 10 + 3 = 10$

2. $17 - 10 + 3 = 4$

3. $26 - 7 \times 2 = 38$

4. $26 - 7 \times 2 = 12$

5. $24 - 17 - 6 = 1$

6. $24 - 17 - 6 = 13$

7. $3 \times 6 + 13 = 57$

8. $3 \times 6 + 13 = 31$

9. Crea otros "rompecabezas con paréntesis" a continuación.

_____   _____

_____   _____

Destácate

10. Rivera preparó 8 bolsas para su fiesta de cumpleaños. Cada bolsa contenía 4 regalitos para sus amigas. Cuando Denise dijo que ella también iría, Rivera tuvo que hacer otra bolsa con 4 regalitos. ¿Cuántos regalitos necesitó Rivera para llenar las bolsas?

Walter escribió este modelo numérico: $8 \times (4 + 4) = 64$
Explica el error de Walter.

_____

_____

_____

Baloncesto de matemáticas

Vínculo con el hogar 7.5

Nota a la familia

Hemos estado usando puntos de baloncesto para ilustrar el uso de paréntesis en modelos numéricos. Trabaje con su hijo o hija para hallar varias combinaciones de canastas de 3 puntos, de 2 puntos y de 1 punto, que sumen un total de 15 puntos. Pídale a su hijo o hija que le explique qué indican los paréntesis de los modelos numéricos respecto a cómo hallar las respuestas.

Por favor, devuelva este Vínculo con el hogar a la escuela mañana.

Explica a alguien de tu casa que los jugadores de baloncesto pueden marcar puntos con canastas de 3 puntos y de 2 puntos, y con tiros libres de 1 punto. Halla diferentes maneras de marcar 15 puntos.

Marcar 15 puntos de baloncesto

Número de canastas de 3 puntos	Número de canastas de 2 puntos	Número de canastas de 1 punto	Modelos numéricos
3	2	2	$(3 \times 3) + (2 \times 2) + (2 \times 1) = 15$

Elige un puntaje superior a 20. Luego, halla maneras de conseguirlo.

Marcar _____ puntos de baloncesto

Número de canastas de 3 puntos	Número de canastas de 2 puntos	Número de canastas de 1 punto	Modelos numéricos

Triángulos de operaciones extendidas

Nota a la familia

Hoy, la clase aprendió que, si se sabe una operación básica de multiplicación, como $4 \times 6 = 24$, se puede obtener la respuesta a una operación de multiplicación extendida, como 40×6 ó 4×600. Lo mismo se puede aplicar a las operaciones de división extendidas, como $120 \div 3$ ó $1,500 \div 5$. Los Triángulos de operaciones extendidas de esta página funcionan de la misma forma que los Triángulos de operaciones básicas.

Por favor, devuelva este Vínculo con el hogar a la escuela mañana.

Completa los Triángulos de operaciones extendidas. Escribe las familias de operaciones.

1.

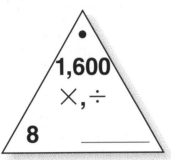

_____ × _____ = _____

_____ × _____ = _____

_____ ÷ _____ = _____

_____ ÷ _____ = _____

2.

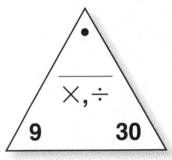

_____ × _____ = _____

_____ × _____ = _____

_____ ÷ _____ = _____

_____ ÷ _____ = _____

3.

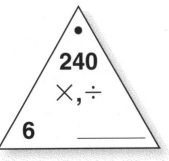

_____ × _____ = _____

_____ × _____ = _____

_____ ÷ _____ = _____

_____ ÷ _____ = _____

4. Crea un Triángulo.

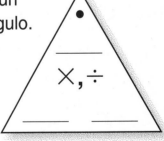

_____ × _____ = _____

_____ × _____ = _____

_____ ÷ _____ = _____

_____ ÷ _____ = _____

Estimación

Nota a la familia

Hoy resolvimos problemas haciendo estimaciones. Recalcamos el hecho de que no siempre es necesario hallar la respuesta exacta a un problema. Por ejemplo: cuando usted va de compras, puede estimar si va a tener suficiente dinero para pagar los artículos que quiere comprar. En la mayoría de los casos, no es necesario hallar el costo exacto. El cajero o la cajera hará los cálculos por usted.

Por favor, devuelva este Vínculo con el hogar a la escuela mañana.

1. Una persona típica consume unas 10 libras de papel por semana. Halla algunos objetos de tu casa que pesen alrededor de esa cantidad. Puedes comprobarlo usando una báscula de baño.

_____

_____

2. Resuelve *sólo* los problemas con sumas *mayores* que 500.

a. 180 + 37	**b.** 1,358 + 392	**c.** 742 + 509
Respuesta	**Respuesta**	**Respuesta**
d. 118 + 292	**e.** 226 + 248	**f.** 357 + 158
Respuesta	**Respuesta**	**Respuesta**
g. 298 + 316	**h.** 195 + 188	**i.** 313 + 209
Respuesta	**Respuesta**	**Respuesta**

Rompecabezas de multiplicaciones

Nota a la familia

Practique con su hijo o hija cómo hallar productos como 4 × 70, 900 × 5 y 30 × 50, antes de empezar a trabajar en los dos rompecabezas.

Por favor, devuelva este Vínculo con el hogar a la escuela mañana.

Trabaja con alguien de tu casa.

1. Halla cada uno de los productos siguientes (problemas 5a a 5i).

2. Anota cada producto en el recuadro rotulado con la letra del problema. Por ejemplo: escribe el producto del problema **a** en la casilla **a**.

3. Suma los números de cada fila. Escribe la suma junto a la fila.

4. Suma esas cantidades y escribe el resultado en la casilla donde dice Total.

5. El número de la casilla Total debería ser igual a 3 × 3,000.

    a. 30 × 40

    b. 20 × 70

    c. 20 × 20

    d. 10 × 80

    e. 40 × 50

    f. 20 × 10

    g. 4 × 500

    h. 10 × 10 × 10

    i. 10,000 × 0

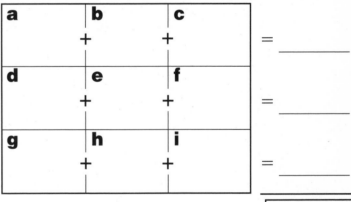

Destácate

6. Crea tu propio rompecabezas de tal forma que el número en la casilla Total sea 500.

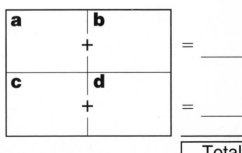

    a. _____   **b.** _____

    c. _____   **d.** _____

Números misteriosos

Nota a la familia

Ayude a su hijo o hija a hallar los números que faltan usando todas las pistas. Luego, ayúdele a crear pistas para dos números misteriosos más.

Por favor, devuelva este Vínculo con el hogar a la escuela mañana.

Halla los números que faltan. Aquí tienes las pistas.

Mayor que	Menor que	Más pistas	Número misterioso
20	101	un número de 3 dígitos	
197	200	un número impar	
67	80	tiene cero en el lugar de las unidades	
40	50	tiene el mismo dígito en el lugar de las decenas y en el lugar de las unidades	
917	1,072	tiene el mismo dígito en el lugar de las unidades, las decenas y las centenas; tiene 4 dígitos	
996	1,015	un número par de 3 dígitos	

Crea tu propio rompecabezas de números misteriosos. Escribe las pistas y pide a alguien que averigüe los números.

Mayor que	Menor que	Más pistas	Número misterioso

Carta a la familia

Unidad 8: Fracciones

La Unidad 8 tiene dos objetivos primordiales:

· repasar los usos de las fracciones y la notación de fracciones

· ayudar a los niños a desarrollar un conocimiento sólido de lo que son las
 fracciones equivalentes, o sea, las fracciones que tienen el mismo valor

El segundo objetivo es de particular importancia, porque comprender
las fracciones equivalentes ayudará a los niños a comparar fracciones y,
más adelante, a calcular con fracciones.

Los niños desarrollarán su comprensión de las fracciones equivalentes
trabajando con las Tarjetas de fracciones y con las cajas de coleccionar
nombres. Las Tarjetas de fracciones están sombreadas para mostrar
distintas fracciones.

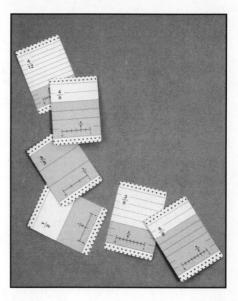

Las cajas de coleccionar nombres contienen nombres equivalentes de
un mismo número. Por ejemplo: una caja de coleccionar nombres de
$\frac{1}{2}$ puede incluir fracciones como $\frac{2}{4}$, $\frac{3}{6}$ y $\frac{4}{8}$, y el decimal 0.50.

Los niños también generarán listas de fracciones equivalentes doblando
círculos y rectángulos en distintos números de partes iguales.

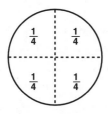 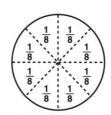

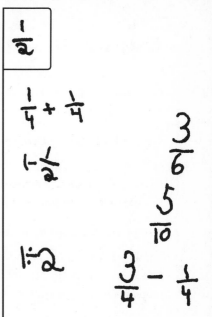

A lo largo de esta unidad, los niños crearán y resolverán historias de
números sobre fracciones en contextos de la vida diaria. Resolverán
historias de números sobre conjuntos de objetos reales, como
crayones, libros y galletas.

Por último, los niños empezarán a denominar cantidades mayores que 1
con fracciones, como $\frac{3}{2}$ y $\frac{5}{4}$, así como con números mixtos, como $2\frac{1}{3}$.

**Por favor, guarde esta Carta a la familia como referencia
mientras su hijo o hija trabaja en la Unidad 8.**

Vocabulario

Términos importantes de la Unidad 8:

fracción Un número en forma $\frac{a}{b}$, que se usa para referirse a parte de un objeto entero o parte de un conjunto de objetos.

denominador El número de partes iguales en que se divide el total. Es el número escrito bajo la barra en la fracción. Ej.: en la fracción $\frac{3}{4}$, 4 es el denominador.

numerador El número de partes iguales del total en cuestión. Es el número escrito encima de la barra en la fracción. Por ejemplo: en la fracción $\frac{3}{4}$, 3 es el numerador.

fracciones equivalentes Fracciones que tienen distinto numerador y denominador, pero que se refieren a la misma cantidad. Ej.: $\frac{1}{2}$, $\frac{2}{4}$, $\frac{10}{20}$ y $\frac{5}{10}$.

número mixto El nombre para indicar una cantidad, consistente en un número entero y una fracción, como $2\frac{1}{3}$.

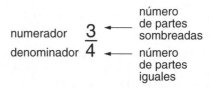

numerador 3 ← número de partes sombreadas

denominador 4 ← número de partes iguales

Desarrollar destrezas por medio de juegos

En la Unidad 8, su hijo o hija practicará destrezas de multiplicación y desarrollará su entendimiento de las fracciones, a través de los siguientes juegos. Para instrucciones más detalladas, vea el *Libro de consulta del estudiante*.

Béisbol de multiplicaciones

Los jugadores usan operaciones de multiplicación para meter carreras. Los miembros del equipo se turnan para "lanzar", tirando dos dados para obtener dos factores. Luego, los jugadores del equipo de "bateadores" se turnan multiplicando los dos factores y diciendo el producto.

Juego de fracciones equivalentes

Los jugadores se turnan dándole la vuelta a Tarjetas de fracciones y tratando de encontrar otras tarjetas que muestren fracciones equivalentes.

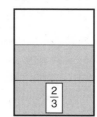
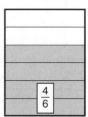

Supera la fracción

Los jugadores le dan la vuelta a dos Tarjetas de fracciones y comparan las partes sombreadas. El jugador con la fracción mayor se queda con todas las tarjetas. El jugador que acumule más tarjetas al final gana la partida.

Bingo de multiplicaciones

Los jugadores se turnan diciendo en voz alta el producto de dos números. Si ese número aparece en sus tarjetas de *Bingo de multiplicaciones*, ponen un *penny* sobre ese número. El primer jugador en conseguir colocar 4 monedas en una fila, columna o diagonal grita "¡Bingo!" y gana la partida.

Usar con la lección 7.10

Actividades para hacer en cualquier ocasión

Para trabajar con su hijo o hija sobre los conceptos aprendidos en esta unidad y en las anteriores, hagan juntos estas interesantes y provechosas actividades:

1 Ayude a su hijo o hija a encontrar fracciones en el mundo real: en anuncios, en instrumentos de medida, en recetas, etc.

2 Cuenten salteado por un número de un dígito. Por ejemplo: empiecen desde 0 y cuenten de 7 en 7.

3 Dicte números de 5, 6 y 7 dígitos para que los escriba su hijo o hija. Por ejemplo: "trece mil doscientos cuarenta y siete" (13,247) y "tres millones doscientos veintinueve mil ochocientos cincuenta y seis" (3,229,856). Además, escriba números de 5, 6 y 7 dígitos para que su hijo o hija los lea en voz alta.

4 Practiquen operaciones de multiplicación y división extendidas, como: $3 \times 7 =$ ___, $30 \times 7 =$ ___ y $300 \times 7 =$ ___; así como: $18 \div 6 =$ ___, $180 \div 6 =$ ___ y $1,800 \div 6 =$ ___.

Usar con la lección 7.10

Cuando ayude a su hijo o hija a hacer la tarea

Cuando su hijo o hija traiga tarea a casa, lean juntos y clarifiquen las instrucciones. Las respuestas siguientes le servirán de guía para usar los "Vínculos con el hogar" de esta unidad.

Vínculo con el hogar 8.1

1.   **2.**   **3.**

4. $\frac{5}{7}$ **5.** $\frac{9}{10}$ **6.** $\frac{1}{4}$

7. 0, ó $\frac{0}{4}$ **8.** $\frac{3}{4}$ **9.** $\frac{1}{2}$

Vínculo con el hogar 8.2

1. 7 cartas   **2.** 3 lápices   **3.** $\frac{1}{4}$, ó $\frac{10}{40}$ **4.** $\frac{1}{5}$, ó $\frac{10}{50}$

5. ○○○○○○○⟨○○○○○○○○○○⟩

6. ⊗⊗⊗⊗⊗⊗⊗⊗⊗○○○

Vínculo con el hogar 8.3

1. $\frac{1}{2}$; $\frac{1}{1}$; $\frac{1}{4}$

2. Hay 9 frutas.

$\frac{4}{9}$ de las frutas son plátanos.

$\frac{2}{9}$ de las frutas son peras.

$\frac{3}{9}$ de las frutas son manzanas.

$\frac{0}{9}$ de las frutas son naranjas.

3.

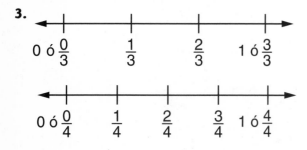

Vínculo con el hogar 8.4

4. $\frac{2}{4}$; $\frac{1}{2}$ **5.** $\frac{3}{6}$; $\frac{1}{2}$ **6.** $\frac{4}{8}$; $\frac{1}{2}$

8. 4 gatos   **9.** $\frac{4}{16}$

10.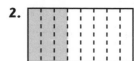

11.

Vínculo con el hogar 8.5

1. 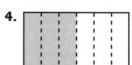 **2.**

3. 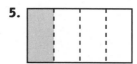 **4.**

5. **6.**

7.  **8.**

9. $\frac{2}{3}$, $\frac{7}{8}$, $\frac{5}{9}$ **10.** $\frac{3}{6}$, $\frac{5}{10}$ **11.** > **12.** <

13. >   **14.** =   **15.** >   **16.** <

17. <   **18.** =

Vínculo con el hogar 8.6

1. 6; $\frac{6}{4}$; $1\frac{2}{4}$ **2.** 9; $\frac{9}{5}$; $1\frac{4}{5}$ **3.** 7; $\frac{7}{3}$; $2\frac{1}{3}$

4. $\frac{1}{12}$ **5.** $\frac{28}{12}$; $2\frac{4}{12}$

Vínculo con el hogar 8.7

1. 8 huevos   **2.** $\frac{1}{4}$ del césped

3. 2 millas   **4.** $1\frac{1}{4}$ de bandejas

5. 6 *quarters*; $2.28

© 2002 Everyday Learning Corporation

Rodeados de fracciones

 Nota a la familia

Ayude a su hijo o hija a comprender la idea de la UNIDAD y de fracciones de objetos y conjuntos. Busquen juntos objetos o dibujos donde haya fracciones o decimales.

Por favor, devuelva este Vínculo con el hogar a la escuela mañana.

Cada una de las siguientes banderas cuadradas representa una UNIDAD. Escribe las fracciones que denominan cada región dentro de la bandera.

1.   **2.**   **3.**

Escribe una fracción para cada dibujo.

4. 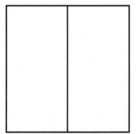   **5.**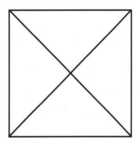

_____ de los botones tienen 4 agujeros.   _____ de los botones son grandes.

Escribe uno de los números siguientes para indicar qué tan lleno está cada vaso: $0, \frac{0}{4}, \frac{1}{4}, \frac{1}{2}$ ó $\frac{3}{4}$.

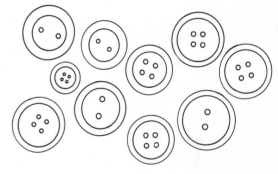

6.   **7.**   **8.**   **9.**

vaso lleno   _____   _____   _____   _____

Busca objetos por tu casa que tengan fracciones o decimales. Algunos ejemplos incluyen: recetas, tazas de medida, llaves de tuercas, etiquetas en envases y anuncios de periódico. Pide permiso para traer algunos de los objetos a la escuela para dos semanas. Los pondremos en el Museo de fracciones.

Historias de fracciones

Nota a la familia

Su hijo o hija se beneficiará si hace una demostración de las historias de números con *pennies* o con fichas. Ayude a su hijo o hija a pensar en las historias como cuentos de partes iguales y de grupos iguales.

Por favor, devuelva este Vínculo con el hogar a la escuela mañana.

Resuelve cada problema. Explica a alguien de tu casa cómo lo hiciste. Haz un dibujo en el reverso si te sirve de ayuda.

1. Lucy jugaba una partida de cartas con 2 amigas.
Jugaban con una baraja de 21 cartas.
Lucy repartió $\frac{1}{3}$ de la baraja a cada persona.
¿Cuántas cartas recibió Lucy? _____ cartas

2. Jonathan compró 12 lápices. Dio $\frac{1}{2}$ de los lápices a su hermano y $\frac{1}{4}$ a su amigo Mike.
¿Cuántos lápices le dio a Mike? _____ lápices

3. Gerard estaba leyendo un libro de 40 páginas.
Leyó 10 páginas en una hora.
¿Qué fracción del libro leyó en una hora? _____

4. Melissa estaba leyendo un libro de 50 páginas.
Leyó 10 páginas en una hora.
¿Qué fracción del libro leyó en una hora? _____

Sigue las siguientes instrucciones.

5. Dibuja 15 círculos pequeños. Dibuja un círculo grande alrededor de $\frac{3}{5}$ de los círculos pequeños.

6. Dibuja 12 círculos pequeños. Tacha $\frac{3}{4}$ de los círculos con una X.

Rompecabezas con fracciones

Nota a la familia

Este año hemos trabajado con fracciones de regiones y fracciones de conjuntos. Pídale a su hijo o hija que le explique cómo sabe qué fracciones escribir en los problemas 1 y 2. Hoy empezamos con fracciones sobre una recta numérica. Pídale a su hijo o hija que le explique cómo sabe los números que hay que añadir en las rectas numéricas del problema 3. Si parece confundido o confundida, ayúdele a contar el número de intervalos de 0 a 1 para determinar qué fracción indica cada marca. Además, ayúdele a encontrar más objetos que incluyan fracciones o decimales.

Por favor, devuelva este Vínculo con el hogar a la escuela mañana.

1. La primera figura es $\frac{3}{4}$ del todo. ¿Qué fracción del *mismo* todo es cada una de las demás figuras? Escribe la fracción dentro de la figura.

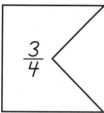 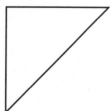  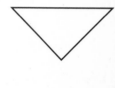

2. ¿Cuántas frutas hay? _____

_____ de las frutas son plátanos.

_____ de las frutas son peras.

_____ de las frutas son manzanas.

¿Qué fracción de las frutas son naranjas? _____

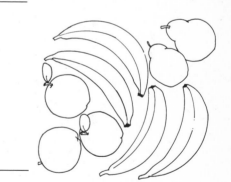

3. Añade los números que faltan en cada recta numérica.

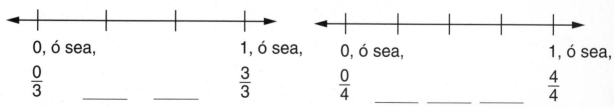

0, ó sea,   1, ó sea,   0, ó sea,   1, ó sea,

$\frac{0}{3}$ _____ _____ $\frac{3}{3}$ $\frac{0}{4}$ _____ _____ _____ $\frac{4}{4}$

4. Continúa buscando objetos y dibujos en que aparezcan fracciones o decimales. Pide permiso para traerlos a la escuela para el Museo de fracciones.

Fracciones equivalentes

Nota a la familia

La clase sigue trabajando con fracciones, hallando nombres equivalentes para las fracciones. Las fracciones diferentes que se refieren a la misma cantidad se llaman fracciones equivalentes. Las fracciones que completan los problemas 4 a 6 son equivalentes. Ayude a su hijo o hija a denominar las partes fraccionarias en dichos problemas. Pídale que le explique la fracción que eligió en el problema 9: una fracción equivalente a $\frac{1}{4}$ que describe la fracción de gatos encerrados en un círculo.

Por favor, devuelva este Vínculo con el hogar a la escuela mañana.

Los dibujos muestran tres tipos de tarta. Usa una regla para hacer lo siguiente:

1. Divide la tarta de durazno en 4 trozos iguales. Sombrea 2 de los trozos.

2. Divide la tarta de moras en 6 trozos iguales. Sombrea 3 de los trozos.

3. Divide la tarta de cerezas en 8 trozos iguales. Sombrea 4 de los trozos.

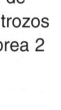

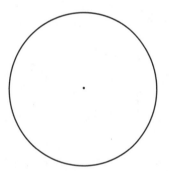

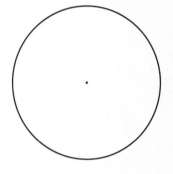

tarta de durazno   tarta de moras   tarta de cerezas

¿Qué fracción de cada tarta has sombreado?

4. He sombreado ___ de la tarta de durazno.
Escribe otro nombre para esta fracción: ___

5. He sombreado ___ de la tarta de moras.
Escribe otro nombre para esta fracción: ___

6. He sombreado ___ de la tarta de cerezas.
Escribe otro nombre para esta fracción: ___

Fracciones equivalentes, *cont.*

7. Encierra en un círculo $\frac{1}{4}$ de los gatos.

8. ¿Cuántos gatos encerraste en un círculo? _____

9. Escribe una fracción que describa el número de gatos que encerraste en un círculo, y que sea equivalente a $\frac{1}{4}$. _____

Cada rectángulo representa una UNIDAD. Escribe una fracción dentro de cada parte.

10.

$\frac{1}{4}$

11.

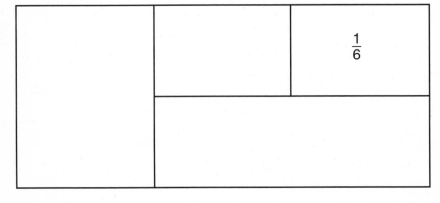

$\frac{1}{6}$

Comparar fracciones con $\frac{1}{2}$

Nota a la familia

La clase de su hijo o hija está comparando fracciones para determinar si son mayores, menores o iguales a $\frac{1}{2}$. Pídale que le explique a qué categoría pertenece cada fracción. Para más información sobre este tema, vea las páginas 31 y 32 del *Libro de consulta del estudiante*.

Por favor, devuelva este Vínculo con el hogar a la escuela mañana.

Sombrea cada rectángulo de acuerdo con la fracción que tiene debajo. ***Ejemplo:*** $\frac{2}{4}$

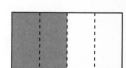

1.
$\frac{2}{3}$

2.
$\frac{3}{8}$

3.
$\frac{2}{5}$

4.
$\frac{3}{6}$

5.
$\frac{1}{4}$

6.
$\frac{5}{10}$

7.
$\frac{7}{8}$

8.
$\frac{5}{9}$

9. Haz una lista de las fracciones de arriba que sean mayores que $\frac{1}{2}$. _____

10. Haz una lista de las fracciones de arriba que sean iguales a $\frac{1}{2}$. _____

Escribe $<$, $>$ ó $=$ en cada problema a continuación.

11. $\frac{6}{8}$ _____ $\frac{1}{2}$

12. $\frac{2}{9}$ _____ $\frac{1}{2}$

13. $\frac{10}{12}$ _____ $\frac{1}{2}$

14. $\frac{6}{12}$ _____ $\frac{1}{2}$

> $<$ significa *es menor que*
> $>$ significa *es mayor que*
> $=$ significa *es igual a*

Destácate

Escribe $<$, $>$ ó $=$ en cada problema. En el reverso de esta hoja, explica cómo resolviste estos problemas.

15. $\frac{10}{16}$ _____ $\frac{1}{2}$

16. $\frac{7}{20}$ _____ $\frac{1}{2}$

17. $\frac{15}{75}$ _____ $\frac{1}{2}$

18. $\frac{20}{40}$ _____ $\frac{1}{2}$

Fracciones y números mixtos

 Nota a la familia

Hoy la clase empezó a ver fracciones mayores que 1 y números mixtos. Hasta ahora, hemos trabajado con modelos de área (áreas sombreadas) de estos números. El problema de la sección Destácate pregunta sobre fracciones de un conjunto. El *todo* es una docena de huevos, por lo que cada huevo es $\frac{1}{12}$ del todo. Pídale a su hijo o hija que le explique cómo determinó cuál debería ser la fracción y cuál el número mixto en las cajillas de huevos.

Por favor, devuelva este Vínculo con el hogar a la escuela mañana.

1.

¿Cuántos cuartos hay? ___ cuartos

Colorea 6 cuartos.

Escribe la fracción: ___

Escribe el número mixto: ___

2.

¿Cuántos quintos hay? ___ quintos

Colorea 9 quintos.

Escribe la fracción: ___

Escribe el número mixto: ___

3.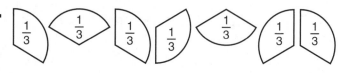

¿Cuántos tercios hay? ___ tercios

Colorea 7 tercios.

Escribe la fracción: ___

Escribe el número mixto: ___

Fracciones y números mixtos, *cont.*

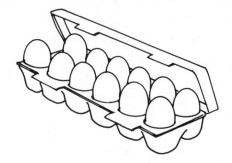

Destácate

4.

¿Qué fracción del TODO es cada huevo? _____

5.

Escribe la fracción: _____   Escribe el número mixto: _____

Historias de fracciones

Nota a la familia

En clase hemos solucionado todo tipo de historias de fracciones. Si algunos de los problemas de este Vínculo con el hogar le parecen difíciles, sugiera a su hijo o hija que haga una demostración con monedas o que haga dibujos para que le resulte más fácil resolverlos.

Por favor, devuelva este Vínculo con el hogar a la escuela mañana.

Resuelve estas historias de fracciones. Usa monedas o fichas como ayuda.

1. Lisa compró una docena de huevos. De camino a casa se le cayó la bolsa y se rompieron $\frac{2}{3}$ de los huevos. ¿Cuántos huevos se rompieron? _____ huevos

2. Roger cortó $\frac{3}{4}$ del césped antes del almuerzo. ¿Qué fracción del césped le quedaba por cortar después de almorzar? _____ del césped

3. Missy vive a 1 milla de la escuela. Un día, había recorrido $\frac{1}{2}$ del camino cuando se acordó de que tenía que devolver un libro a la biblioteca. Volvió a su casa a buscarlo. Luego, caminó hacia la escuela. ¿Qué distancia recorrió en total? _____ millas

4. Sid preparó 4 bandejas de galletas. Llevó 2 bandejas a la escuela para su cumpleaños. Le dio otros $\frac{3}{4}$ de bandeja de galletas a su maestra. ¿Cuántas bandejas de galletas le quedaron? _____ bandejas

Destácate

5. Robert encontró 24 monedas. $\frac{1}{3}$ eran *pennies*, $\frac{1}{4}$ eran *nickels*, $\frac{1}{6}$ eran *dimes* y el resto eran *quarters*.

    ¿Cuántas monedas eran de *quarters*? _____

    ¿Cuánto dinero encontró en total? $_____ . _____

    Explica cómo obtuviste las respuestas.

    _____

    _____

Carta a la familia

Vínculo con el hogar 8.8

Unidad 9: Multiplicación y división

En la Unidad 9, los niños desarrollarán una variedad de estrategias para multiplicar números enteros. Empezarán usando el cálculo mental (cálculo realizado contando los dedos, haciendo dibujos y diagramas o contando mentalmente). Más adelante en esta unidad, los niños verán dos algoritmos o métodos específicos de la multiplicación: el algoritmo de productos parciales y el método de multiplicación reticulada.

Algoritmo de productos parciales

El algoritmo de productos parciales es una variedad del algoritmo de multiplicación tradicional que la mayoría de adultos aprendimos de niños. Fíjese en que se multiplica de izquierda a derecha y se pone énfasis en el valor posicional de los números que se multiplican.

$$
\begin{array}{r}
28 \\
\times\ 4 \\
\end{array}
$$

Multiplica 4 × 20.   →   80   Primero, se calcula 4 veces 20.

Multiplica 4 × 8.   → + 32   Luego, se calcula 4 veces 8.

Suma los dos productos parciales.   →   112   Por último, se suman los dos productos parciales.

Es importante que, cuando los niños expresen este método con palabras, comprendan que 4 × 20 se dice "4 veces 20", y no "4 × 20". De esta forma, obtienen una idea más clara de la magnitud de los números, así como un mejor sentido de los números.

$$
\begin{array}{r}
379 \\
\times\ 4 \\
\end{array}
$$

Multiplica 4 × 300.   →   1200   Primero, se calcula 4 veces 300.

Multiplica 4 × 70.   →   280   Luego, se calcula 4 veces 70.

Multiplica 4 × 9.   → + 36   Luego, se calcula 4 veces 9.

Suma los tres productos parciales.   →   1516   Por último, se suman los tres productos parciales.

Compruebe que cuando su hijo o hija exprese esta estrategia con palabras, diga "4 veces 300", y no "4 × 3", y "4 veces 70", y no "4 × 7". El uso de esta estrategia también ayuda a reforzar la facilidad con las operaciones básicas de multiplicación y sus extensiones.

Método de multiplicación reticulada

Matemáticas diarias, Tercer grado introduce el método de multiplicación reticulada por varias razones: este algoritmo es interesante históricamente; permite practicar las operaciones de multiplicación y la suma de números de 1 dígito y, además, es divertido. Por otro lado, algunos niños lo encuentran más fácil de usar que otros métodos de multiplicación.

$$\begin{array}{r} 79 \\ \times\ 4 \\ \hline 316 \end{array}$$

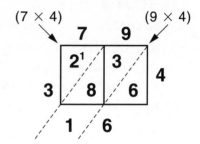

Paso 1 Escribe los factores en el exterior del retículo.

Paso 2 Multiplica cada dígito de un factor por cada dígito del otro factor.

Paso 3 Escribe cada producto en una casilla; los dígitos del lugar de las unidades en la mitad inferior derecha; los dígitos del lugar de las decenas en la mitad superior izquierda. Cuando el producto es una respuesta de un solo dígito, escribe cero en la mitad superior izquierda.

Paso 4 Suma los números que hay dentro del retículo a lo largo de cada diagonal. Si la suma en una diagonal es mayor que 9, agrega las decenas en exceso en la siguiente diagonal.

El método de multiplicación reticulada y el algoritmo de productos parciales ayudan a preparar a los niños para un algoritmo de división que aprenderán en cuarto grado. Los niños elegirán los algoritmos que les vayan mejor a ellos.

Además, en esta unidad los niños...

· escribirán y resolverán historias de multiplicación y división con múltiplos de 10, 100 y 1,000.

· resolverán historias de división e interpretarán el residuo.

· desarrollarán el conocimiento de números positivos y negativos.

Vocabulario

Términos importantes de la Unidad 9:

algoritmo Una serie de instrucciones para hacer algo paso a paso: realizar un cálculo, resolver un problema, etcétera.

porcentaje, % Por ciento; multiplicado por $\frac{1}{100}$; multiplicado por 0.01; 1 centésima. Por ejemplo: 15% significa $\frac{15}{100}$ ó 0.15 ó 15 centésimas.

grado Celsius o centígrado (°C) Unidad para medir la temperatura según la escala de Celsius. 0° Celsius es el punto de congelación del agua. 100° Celsius es el punto de ebullición del agua.

grado Fahrenheit (°F) Unidad para medir la temperatura según la escala de Fahrenheit. 32°F es el punto de congelación del agua. 212°F es el punto de ebullición del agua.

número negativo Un número menor que cero o bajo cero; un número situado a la izquierda del cero sobre una recta numérica.

factor de un número N Un número entero que se puede multiplicar por otro número entero, de modo que el producto sea el número N. Por ejemplo: 12 es un factor de 60, porque 5 × 12 = 60. A la vez, un factor de N es un número entero que divide a N de forma exacta (sin residuo). Por ejemplo: 12 es un factor de 60, porque 60 ÷ 12 = 5.

Actividades para hacer en cualquier ocasión

Para trabajar con su hijo o hija sobre los conceptos aprendidos en esta unidad y en las anteriores, hagan juntos estas interesantes y provechosas actividades:

1 A medida que la clase avanza en esta unidad, déle a su hijo o hija problemas de multiplicación relacionados con las lecciones abarcadas, como 9 × 23, 3 × 345, 20 × 65 y 43 × 56.

2 Continúen trabajando en las operaciones básicas de multiplicación y división usando los Triángulos de operaciones y las familias de operaciones, o jugando a los juegos.

3 Jueguen al *Béisbol de multiplicaciones, Bingo de factores* y a los demás juegos descritos en el *Libro de consulta del estudiante.*

4 Escriba decimales para que los lea su hijo o hija, tales como 0.82 (ochenta y dos centésimas); 0.7 (siete décimas); 0.348 (trescientas cuarenta y ocho milésimas), etc. Pídale que identifique dígitos en el lugar de las décimas, las centésimas y las milésimas.

5 Practiquen operaciones de multiplicación y división extendidas, como 3 × 7 = ?, 3 × 70 = __ y 3 × 700 = __; 18 ÷ 6 = __, 180 ÷ 6 = __ y 1,800 ÷ 6 = __.

Cuando ayude a su hijo o hija a hacer la tarea

Cuando su hijo o hija traiga tarea a casa, lean juntos y clarifiquen las instrucciones. Las respuestas siguientes le servirán de guía para usar los Vínculos con el hogar de esta unidad.

Vínculo con el hogar 9.2

1. 56; 56; 560; 560; 7 [8] en 56; 70 [8] en 560; 8 [7] en 56; 8 [70] en 560

2. 63; 63; 630; 630; 7 [9] en 63; 70 [9] en 630; 9 [7] en 63; 9 [70] en 630

3. 40; 40; 400; 400; 50 veces 8 en 400; 50 veces 80 en 4,000; 8 veces 50 en 400; 80 veces 50 en 4,000

Vínculo con el hogar 9.3

1. 7 mapaches   **2.** 500 lb   **3.** 100 zorros

4. 600 lb   **5.** 400 lb   **6.** 60 ballenas beluga

Vínculo con el hogar 9.4

1. 93   **2.** 375   **3.** 765

4. 258   **5.** 1,134

Vínculo con el hogar 9.5

1. sí; $0.79 x 7 = $5.53

2. $12.72; $2.12 x 6 = $12.72

3. $0.90; Respuesta posible: 10 tarjetas cuestan $6.00 multiplicado por 2. Lo comparas con $1.29 por 10. Luego, restas para hallar la diferencia.

4. paquete de 10; $0.55; Respuesta posible: Comparas $0.55 multiplicado por 8 con $3.85. Luego, restas para hallar la diferencia.

Vínculo con el hogar 9.6

1 fila: sí; 18 sillas   **7 filas:** no; 0 sillas

2 filas: sí; 9 sillas   **8 filas:** no; 0 sillas

3 filas: sí; 6 sillas   **9 filas:** sí; 2 sillas

4 filas: no; 0 sillas   **10 filas:** no; 0 sillas

5 filas: no; 0 sillas   **18 filas:** sí; 1 silla

6 filas: sí; 3 sillas   1; 18; 2; 9; 3; 6

Vínculo con el hogar 9.7

1. a. 1 billete de $10   **b.** 9 billetes de $1

   c. sobra 1 billete de $1   **d.** $0.25

   e. $19.25   **f.** $77.00 ÷ 4 = $19.25

2. a. 2 billetes de $1   **b.** 1 billete de $1

   c. sobran 2 billetes de $10   **d.** $0.66

   e. $21.66

   f. $65.00 ÷ 3 = $21.66 R2¢

Vínculo con el hogar 9.8

1. 8 mesas con 1 silla vacía

2. 2 cajillas con 1 huevo de sobra

3. 10 paquetes con 7 marcadores de sobra

4. 12 paquetes de panecillos con 6 panecillos de sobra

Vínculo con el hogar 9.9

1. 92   **2.** 415

3. 822   **4.** 7,248

Vínculo con el hogar 9.10

1. 171   **2.** 364

3. 1,632   **4.** 4,320

Vínculo con el hogar 9.11

1. 760   **2.** 850   **3.** 5,580

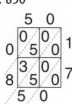 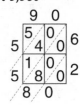

4. 1,120   **5.** 2,100

Vínculo con el hogar 9.12

1. 735   **2.** 731   **3.** 3,596

4. 2,695   **5.** 3,003

Vínculo con el hogar 9.13

1. −40°F; −40°C   **2.** 220°F; 104°C

3. 10°C   **4.** 18° más frío

5. Sí; no; La temperatura exterior sería alrededor de 86°F.

6. Sí; no; El agua se congela a 0°C, así que estaría suficientemente fría para poder patinar sobre hielo.

Operaciones de multiplicación

Nota a la familia

Use un reloj de pared o de pulsera que indique los segundos para cronometrar a su hijo o hija mientras completa cada fila de operaciones. Luego, repasen juntos las operaciones que requieran práctica.

Por favor, devuelva este Vínculo con el hogar a la escuela mañana.

Pide a alguien de tu casa que te cronometre. Para cada Minuto de operaciones, haz tantos problemas como puedas en un minuto.

Minuto de operaciones 1

4	3	7	4	2	5	6	5	3	2
×2	×6	×2	×4	×8	×6	×6	×4	×7	×5

Minuto de operaciones 2

2	5	3	7	4	3	4	5	6	4
×3	×7	×8	×7	×8	×9	×6	×5	×8	×9

Minuto de operaciones 3

2	4	6	8	6	2	9	7	4	8
×7	×5	×3	×4	×7	×9	×4	×5	×7	×3

Minuto de operaciones 4

4	8	9	7	5	9	8	7	6	8
×3	×8	×5	×4	×9	×6	×2	×6	×9	×6

Pide a la persona que te cronometró que compruebe tus respuestas. En el reverso de esta hoja, haz una lista de las operaciones en las que te equivocaste o que no completaste. Éstas son las operaciones que te hace falta practicar.

Operaciones de multiplicación y sus extensiones

Nota a la familia

Ayude a su hijo o hija a practicar las operaciones básicas de multiplicación y sus extensiones. Observe cómo crea extensiones de las operaciones básicas, lo cual demuestra una mayor comprensión de la multiplicación.

Por favor, devuelva este Vínculo con el hogar a la escuela mañana.

Resuelve cada problema.

1. a. 8 [7] = _____ , o sea, 8 × 7 = _____

b. 8 [70] = _____ , o sea, 8 × 70 = _____

c. ¿Cuántos 8 hay en 56? ___   **d.** ¿Cuántos 8 hay en 560? ___

e. ¿Cuántos 7 hay en 56? ___   **f.** ¿Cuántos 70 hay en 560? ___

2. a. 9 [7] = _____ , o sea, 9 × 7 = _____

b. 9 [70] = _____ , o sea, 9 × 70 = _____

c. ¿Cuántos 9 hay en 63? ___   **d.** ¿Cuántos 9 hay en 630? ___

e. ¿Cuántos 7 hay en 63? ___   **f.** ¿Cuántos 70 hay en 630? ___

3. a. 8 [5] = _____ , o sea, 8 × 5 = _____

b. 8 [50] = _____ , o sea, 8 × 50 = _____

c. ¿Cuántos 8 hay en 400? ___   **d.** ¿Cuántos 80 hay en 4,000? ___

e. ¿Cuántos 50 hay en 400? _____

f. ¿Cuántos 50 hay en 4,000? _____

4. Escribe una operación básica de multiplicación que estés tratando de aprender. Luego, usa la operación para escribir algunas extensiones de operaciones como las de arriba.

_____

_____

Historias de multiplicación

Nota a la familia

La clase de su hijo o hija está empezando a resolver problemas de multiplicación y división de varios dígitos. Aunque hemos practicado la multiplicación y la división con múltiplos de 10, hemos realizado la mayoría de los cálculos mentalmente. Anime a su hijo o hija para que explique una estrategia para resolver cada uno de los siguientes problemas.

Por favor, devuelva este Vínculo con el hogar a la escuela mañana.

1. ¿Cuántos mapaches de 30 libras pesarían tanto como una foca groenlándica de 210 libras? _____

2. ¿Cuánto pesaría un cocodrilo si pesara 10 veces más que una nutria marina de 50 libras? _____

3. ¿Cuántos zorros árticos de 20 libras pesarían lo mismo que una ballena beluga de 2,000 libras? _____

4. Cada puercoespín pesa 30 libras. Un oso negro pesa tanto como 20 puercoespines. ¿Cuánto pesa el oso negro? _____

5. Un delfín mular, también llamado delfín de nariz de botella, puede llegar a pesar el doble que un delfín común de 200 libras. ¿Cuánto puede pesar el delfín mular? _____

Destácate

6. ¿Cuántas ballenas beluga de 2,000 libras pesarían tanto como una ballena franca de 120,000 libras? _____

Algoritmo de productos parciales

Nota a la familia

Hoy la clase empezó a trabajar con nuestro primer procedimiento formal de multiplicación: el *algoritmo de productos parciales*. Los niños que dominan este algoritmo tienen un conocimiento sólido del concepto de la multiplicación con varios dígitos. Anime a su hijo o hija para que le explique este algoritmo.

Por favor, devuelva este Vínculo con el hogar a la escuela mañana.

Usa el algoritmo de productos parciales para resolver estos problemas:

Ejemplo
 	
                    46
                 × 7
7 [40]→ 280
7 [6]→ + 42
280 + 42→ 322
	1. 31
	              × 3

2.   75
              × 5
	3. 85
	              × 9

4.   43
              × 6
	5. 162
	            × 7

Ahorros en las rebajas

Nota a la familia

Hoy la clase usó el cálculo mental y el algoritmo de productos parciales para resolver problemas sobre ir de compras. Fíjese en que, para algunos de los problemas, la respuesta a la pregunta es una estimación. Para otros se requiere una respuesta exacta. Si su hijo o hija es capaz de hacer los cálculos mentalmente, pídale que le explique la estrategia que usó para resolverlos.

Por favor, devuelva este Vínculo con el hogar a la escuela mañana.

Decide si tendrás que estimar o calcular una respuesta exacta para resolver cada problema. Luego, resuélvelo. Anota la respuesta y un modelo numérico (o modelos numéricos) para mostrar cómo hallaste la respuesta.

1. Phil tiene $6.00. Quiere comprar gomas de borrar de la marca Criatura Horripilante. Cuestan $1.05 cada una. Si compra más de 5, cuestan $0.79 cada una. ¿Tiene suficiente dinero para comprar 7 gomas Criatura Horripilante? _____

   Modelo numérico: _____

2. La Sra. Katz va a comprar galletas para una fiesta de la escuela. Las galletas cuestan $2.48 por docena. Si compra más de 4 docenas, cuestan $2.12 por docena. ¿Cuánto cuestan 6 docenas? _____

   Modelo numérico: _____

3. Unas tarjetas de béisbol están rebajadas a $1.29 por tarjeta, o 5 tarjetas por $6. Marty compró 10 tarjetas. ¿Cuánto ahorró con el precio especial? _____
   En el reverso de esta hoja, explica cómo hallaste la respuesta.

4. Ursula compra 8 lápices. Cuestan $0.55 cada uno, o $3.85 por un paquete de 10. ¿Qué resulta mas barato, 8 lápices o el paquete de 10 lápices? _____

   ¿Cuánto ahorraría? _____

   En el reverso de esta hoja, explica cómo hallaste la respuesta.

Matrices y factores

Nota a la familia

Comente con su hijo o hija todas las formas posibles de colocar 18 sillas en filas iguales. Luego, ayúdele a usar esa información para hacer una lista de los factores de 18 (pares de números cuyo producto es 18).

Por favor, devuelva este Vínculo con el hogar a la escuela mañana.

Trabaja con alguien de tu casa.

La clase de tercer grado va a representar una obra de teatro. Los niños han invitado a 18 personas. Gilda y Harvey son los encargados de colocar las 18 sillas. Las quieren colocar en filas con el mismo número de sillas por fila, sin que sobren sillas.

Sí o no: ¿Pueden colocar las sillas en...	Si la respuesta es sí, ¿cuántas sillas por fila?
1 fila? _____	_____ sillas
2 filas? _____	_____ sillas
3 filas? _____	_____ sillas
4 filas? _____	_____ sillas
5 filas? _____	_____ sillas
6 filas? _____	_____ sillas
7 filas? _____	_____ sillas
8 filas? _____	_____ sillas
9 filas? _____	_____ sillas
10 filas? _____	_____ sillas
18 filas? _____	_____ sillas

Haz una lista de todos los factores del número 18. *(Una pista:* 18 tiene exactamente 6 factores.)

____ ____ ____

____ ____ ____

¿Cómo te puede ayudar a hallar todos los factores de 18 el saber todas las formas posibles de colocar 18 sillas en filas iguales? Explícaselo a alguien de tu casa.

_____

_____

_____

_____

Compartir dinero con amigos

Vínculo con el hogar 9.7

Nota a la familia

En clase hemos empezado a pensar en la división, pero todavía no hemos introducido un método de división. Trabajaremos con algoritmos formales de división en *Matemáticas diarias, Cuarto grado*. Estimule a su hijo o hija para que resuelva los siguientes problemas a su manera y le explique su estrategia. Estos problemas le permitirán desarrollar un sentido de lo que significa la división y cómo funciona. A veces, resulta útil hacer una demostración de los problemas con monedas, frijoles u otras fichas que representen billetes o monedas.

Por favor, devuelva este Vínculo con el hogar a la escuela mañana.

1. Se reparten $77 en partes iguales entre 4 amigos.

   a. ¿Cuántos billetes de $10 le tocan a cada amigo? _____

   b. ¿Cuántos billetes de $1 le tocan a cada amigo? _____

   c. ¿Cuántos billetes de $1 sobran? _____

   d. Si se reparte el dinero sobrante en partes iguales, ¿cuántos centavos le tocan a cada amigo? _____

   e. A cada amigo le toca un total de $_____.

   f. Modelo numérico: _____

2. Se reparten $65 en partes iguales entre 3 amigos.

   a. ¿Cuántos billetes de $10 le tocan a cada amigo? _____

   b. ¿Cuántos billetes de $1 le tocan a cada amigo? _____

   c. ¿Cuántos billetes de $1 sobran? _____

   d. Si se reparte el dinero sobrante en partes iguales, ¿cuántos centavos le tocan a cada amigo? _____

   e. A cada amigo le toca un total de $_____.

   f. Modelo numérico: _____

Porciones iguales y partes iguales

Nota a la familia

Al investigar la división, la clase está estudiando qué es y qué significa el residuo. Esta tarea se concentra en determinar qué hacer con el residuo, NO en usar un algoritmo de división. Se puede usar la calculadora. Sugiera a su hijo o hija que use fichas o haga dibujos para resolver los problemas más difíciles.

Por favor, devuelva este Vínculo con el hogar a la escuela mañana.

Resuelve los siguientes problemas. Recuerda que tendrás que decidir qué significa el residuo para poder contestar las preguntas. Puedes usar la calculadora, fichas o dibujos como ayuda para resolver los problemas.

1. En la clase de Alice hay 31 niños. En cada mesa se pueden sentar 4 niños. ¿Cuántas mesas hacen falta para que se puedan sentar todos los niños?

_____

2. Gus y June viven en una granja de pollos. El martes, las gallinas pusieron 85 huevos en total. ¿Cuántas cajillas de una docena pueden llenar?

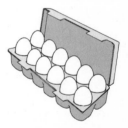

_____

3. La Sra. Lane fue a comprar marcadores para su grupo de excursionistas. Necesita 93 marcadores. Los marcadores van en paquetes de 10. ¿Cuántos paquetes tendrá que comprar?

_____

Destácate

4. Clem compró panecillos para el picnic de su clase. La clase ya compró 9 paquetes de salchichas, con 10 salchichas por paquete. Los panecillos van en paquetes de 8. ¿Cuántos paquetes de panecillos tiene que comprar?

Nota a la familia

Observe a su hijo o hija resolver estos problemas. Fíjese en si es capaz de usar más de un método de multiplicación, y averigüe qué método prefiere. Los dos métodos se explican en las páginas 58 a 63 del *Libro de consulta del estudiante*.

Por favor, devuelva este Vínculo con el hogar a la escuela mañana.

Usa el método de multiplicación reticulada y el algoritmo de productos parciales.

1. $2 \times 46 =$ _____

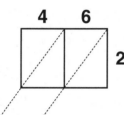

$$\begin{array}{r} 46 \\ \times\ 2 \\ \hline \end{array}$$

2. $5 \times 83 =$ _____

$$\begin{array}{r} 83 \\ \times\ 5 \\ \hline \end{array}$$

3. $3 \times 274 =$ _____

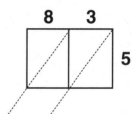

$$\begin{array}{r} 274 \\ \times\ \ 3 \\ \hline \end{array}$$

4. $8 \times 906 =$ _____

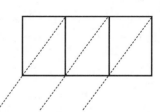

$$\begin{array}{r} 906 \\ \times\ \ 8 \\ \hline \end{array}$$

Multiplicación: Dos métodos, 2ª parte

Vínculo con el hogar 9.10

Nota a la familia

La clase sigue practicando el algoritmo de productos parciales y el método de multiplicación reticulada. Sugiera a su hijo o hija que resuelva estos problemas de las dos maneras y que compare las respuestas para asegurarse de que estén bien.

Por favor, devuelva este Vínculo con el hogar a la escuela mañana.

Usa el método de multiplicación reticulada y el algoritmo de productos parciales.

1. 3 × 57 = _____

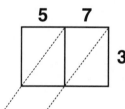

5	7

57
× 3

2. 4 × 91 = _____

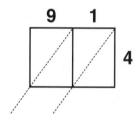

91
× 4

3. 8 × 204 = _____

204
×   8

4. 9 × 480 =

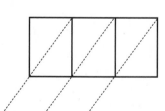

480
×   9

Multiplicación de 2 dígitos: Dos métodos

Nota a la familia

La clase de su hijo o hija sigue practicando el algoritmo de productos parciales y el método de multiplicación reticulada, ahora con números de dos dígitos y con múltiplos de 10 de dos dígitos.

Por favor, devuelva este Vínculo con el hogar a la escuela mañana.

Usa el método de multiplicación reticulada y el algoritmo de productos parciales.

1. 20 × 38 = _____

2. 50 × 17 = _____

3. 90 × 62 = _____

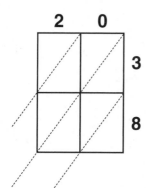

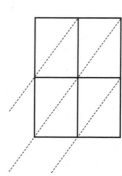

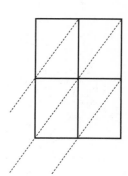

En el reverso de esta hoja, usa tu método favorito y resuelve estos problemas.

4. 40 × 28 = _____

5. 60 × 35 = _____

2 dígitos × 2 dígitos

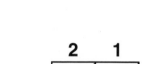 **Nota a la
familia**

La clase de su hijo o hija sigue practicando el algoritmo de productos parciales y el método de multiplicación reticulada, ahora con cualquier número de dos dígitos. Sugiera a su hijo o hija que resuelva estos problemas de las dos maneras y que compare las respuestas para asegurarse de que estén bien.

Por favor, devuelva este Vínculo con el hogar a la escuela mañana.

Usa el método de multiplicación reticulada y el algoritmo de productos parciales.

1. 21 × 35 = _____

2. 17 × 43 = _____

3. 58 × 62 = _____

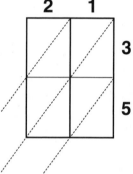

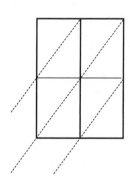

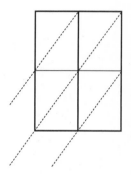

En el reverso de esta hoja, usa tu método favorito para resolver estos problemas.

4. 55 × 49 = _____

5. 91 × 33 = _____

Temperaturas positivas y negativas

Nota a la familia

Pida a su hijo o hija que use el termómetro de la ilustración para contestar las preguntas sobre escalas de termómetros, cambios de temperatura y comparaciones de temperaturas. Si tiene un termómetro de verdad, muestre a su hijo o hija cómo sube y baja el mercurio.

Por favor, devuelva este Vínculo con el hogar a la escuela mañana.

1. ¿Cuál es la temperatura más fría que podría indicar este termómetro?

   a. _____°F   **b.** _____°C

2. ¿Cuál es la temperatura más cálida que podría indicar este termómetro?

   a. _____°F   **b.** _____°C

3. ¿Qué temperatura es 20 grados más cálida que –10°C? _____

4. ¿Qué diferencia de temperatura hay entre –9°C y 9°C? _____

5. A 30°C, ¿haría buena temperatura para nadar al aire libre? _____

   ¿Y para ir en trineo? _____ Explica.

   _____

   _____

6. A –15°C, ¿haría buena temperatura para patinar sobre hielo? _____

   ¿Y para patinar sobre ruedas? _____ Explica.

   _____

   _____

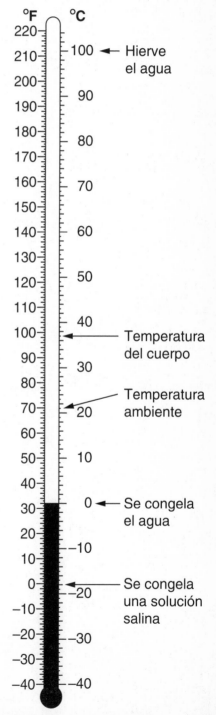

Carta a la familia

Unidad 10: Medidas

Esta unidad tiene tres objetivos primordiales:

· Repasar y ampliar el trabajo realizado previamente con medidas de longitud, peso y capacidad, a través de una variedad de actividades y aplicaciones. Estas actividades permitirán a los niños experimentar tanto con las unidades de medida tradicionales estadounidenses como con las unidades métricas.

· Ampliar el trabajo realizado previamente acerca de la mediana y la moda de una serie de datos, e introducir la media (promedio) de una serie de datos.

· Presentar dos temas nuevos: hallar el volumen de un prisma rectangular y usar pares ordenados para localizar puntos en una gráfica de coordenadas.

Los niños volverán a tomar las medidas de sus cuerpos que tomaron a principios del año para registrar su crecimiento. Luego, exhibirán la información en gráficas y tablas, y hallarán valores típicos de la clase por medio de la mediana, la media y la moda de los datos.

Empezarán a trabajar con el volumen de cajas rectangulares, que tienen figuras regulares, y también compararán los volúmenes de varios objetos irregulares e investigarán si hay alguna relación entre el peso de dichos objetos y su volumen.

Por favor, guarde esta Carta a la familia como referencia mientras su hijo o hija trabaja en la Unidad 10.

Vocabulario

Términos importantes de la Unidad 10:

altura de un prisma La distancia entre las dos bases opuestas de un prisma.

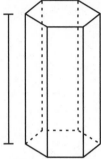

capacidad de una báscula El peso máximo que puede medir una báscula. Por ejemplo: la mayoría de las básculas para bebés tienen una capacidad de unas 25 libras.

capacidad de un envase La medida de cuánto líquido o sustancia vertible puede contener un envase, o la cantidad de líquido o sustancia vertible que hay.

centímetro cuadrado (cm cuadrado, cm²) Unidad para medir el área.

centímetro cúbico (cm cúbico, cm³) Unidad para medir el volumen.

coordenadas Pares ordenados de números escritos entre paréntesis y usados para localizar puntos en una gráfica de coordenadas.

gráfica de coordenadas Instrumento para localizar puntos en un plano. Se forma trazando dos rectas numéricas en ángulo recto entre sí e intersecándose en sus puntos cero.

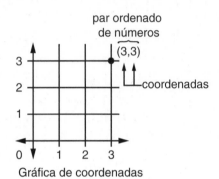

Gráfica de coordenadas

moda Número(s) o artículo(s) que se repite con más frecuencia en una serie de datos. Por ejemplo: en la tabla de frecuencia de arriba, la moda es 30 pulgadas.

par ordenado de números Par de números usados para localizar puntos en una gráfica de coordenadas.

peso La fuerza de la gravedad que atrae un objeto hacia la Tierra, o lo pesado que es el objeto.

tabla de frecuencia Tabla donde se lleva la cuenta de una serie de datos para hallar la frecuencia de sucesos o valores dados.

Medida de la cintura al suelo (pulgadas)	Frecuencia	
	Marcas	Número
27	//	2
28		0
29	/////	5
30	///// ///	8
31	///// //	7
32	////	4
		Total = 26

volumen Medida de la cantidad de espacio que ocupa un objeto tridimensional.

Actividades para hacer en cualquier ocasión

Para trabajar con su hijo o hija sobre los conceptos aprendidos en esta unidad y en las anteriores, hagan juntos estas interesantes y provechosas actividades:

1 Repasen los nombres equivalentes para las medidas. Por ejemplo: *¿Cuántas pulgadas hay en 1 pie? ¿Cuántas pintas en 3 cuartos de galón? ¿Cuántos centímetros en 1 metro? ¿Cuántos gramos en 1 kilogramo?*

2 Repasen las operaciones básicas de multiplicación. Por ejemplo: *¿Cuánto es 6 por 3? ¿7 X 8? ¿4[5]?*

3 Repasen las operaciones básicas de división. Por ejemplo: *¿Cuántos números 2 hay en 12? ¿Qué número multiplicado por 4 es igual a 12? ¿Cuánto es 18 dividido entre 2?*

4 Practiquen la multiplicación con múltiplos de 10, 100 y 1,000. Por ejemplo: *¿Cuánto es 10[30]? ¿Cuánto es 4 X 100? ¿Qué número multiplicado por 100 es igual a 4,000?*

5 Practiquen la división con múltiplos de 10, 100 y 1,000. Por ejemplo: *¿Cuánto es $\frac{1}{10}$ de 300? ¿Cuántos cincuenta hay en 5,000? ¿Cuánto es 200 dividido entre 50?*

Desarrollar destrezas por medio de juegos

En la Unidad 10, su hijo o hija practicará destrezas de cálculo mental a través de los siguientes juegos:

Suma/Resta de memoria

Dos jugadores se ponen de acuerdo en un número determinado. Se turnan sumando o restando cualquier número del 1 al 5 en la memoria de su calculadora, y al mismo tiempo llevan la cuenta de las sumas y las diferencias en su cabeza. Luego, oprimen la tecla **(MRC)** para ver si la cantidad final a la que han llegado de memoria coincide con el número objetivo inicial.

Supera la multiplicación

Los jugadores voltean dos cartas y dicen el producto en voz alta. El jugador con el producto mayor se queda con todas las cartas. El jugador que ha acumulado más cartas al final gana la partida. *Podrá obtener información más detallada sobre* Supera la multiplicación *cuando empecemos a jugar en clase.*

Cuando ayude a su hijo o hija a hacer la tarea

Cuando su hijo o hija traiga tareas a casa, lean juntos y clarifiquen las instrucciones cuando sea necesario. Las siguientes respuestas le servirán de guía para usar los Vínculos con el hogar de esta unidad.

Vínculo con el hogar 10.1

1. 60; 96   **2.** 9; 12; 17

3. 33; 6; 12   **4.** 2; 4; 6

5. $\frac{1}{2}$; $\frac{1}{320}$; $\frac{1}{8}$; $\frac{1}{4}$; $\frac{1}{2}$ **6.** 90; 152; 117

Vínculo con el hogar 10.3

1. 100 cm cúbicos

2. 8 cm cuadrados

3. 100 cm cuadrados; 400 cm cúbicos

4. 52 cm cuadrados

5. 260 cm cúbicos

Vínculo con el hogar 10.6

1. pulgada   **2.** gramo

3. yarda cuadrada   **4.** centímetro

5. pulgada   **6.** cuarto de galón

7. litro   **8.** 20 minutos

Vínculo con el hogar 10.7

4. 3

Vínculo con el hogar 10.8

1. 56.3   **2.** 12.8

Vínculo con el hogar 10.9

1. 20 × 30 = 600
30 × 20 = 600
600 ÷ 30 = 20
600 ÷ 20 = 30

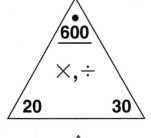

2. 40 × 20 = 800
20 × 40 = 800
800 ÷ 40 = 20
800 ÷ 20 = 40

3. 100 × 5 = 500
5 × 100 = 100
500 ÷ 100 = 5
500 ÷ 5 = 100

4. 600 × 7 = 4,200
7 × 600 = 4,200
4,200 ÷ 600 = 7
4,200 ÷ 7 = 600

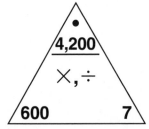

Vínculo con el hogar 10.11

(3,6) Argelia   (4,3) Zaire   (5,5) Sudán

(4,5) Chad   (5,6) Egipto   (4,6) Libia

Medidas antiguas

Nota a la familia

A continuación se muestra una página de un libro de matemáticas de tercer grado publicado en 1897. Éste es el tipo de problemas de medidas que tenían que resolver los niños hace más de 100 años. La unidad de medida llamada *rod* en inglés, apenas se usa en la actualidad. Se usaba para medir el terreno.

Por favor, devuelva este Vínculo con el hogar a la escuela mañana.

Resuelve estos problemas por tu cuenta. Escribe tus respuestas en la "pizarra".

12 pulgadas (pulg) = 1 pie

3 pies = 1 yarda (yd)

$16\frac{1}{2}$ pies = 1 *rod* (rd)

$5\frac{1}{2}$ yardas = 1 *rod*

320 *rods* = 1 milla (mi)

1. ¿Cuántas pulgadas hay en 5 pies? ¿Y en 8 pies?

2. ¿Cuántas yardas hay en 27 pies? ¿Y en 36 pies? ¿Y en 51 pies?

3. ¿Cuántos pies hay en 2 rd? ¿Y en 2 yd? ¿Y en 4 yd?

4. ¿Cuántos *rods* hay en 33 pies? ¿Y en 66 pies? ¿Y en 99 pies?

5. ¿Qué parte de una yarda es $1\frac{1}{2}$ pies?
    ¿Qué parte de una milla es 1 rd? ¿Y 40 rd? ¿Y 80 rd?
    ¿Y 160 rd?

6. ¿Cuántas pulgadas hay en $7\frac{1}{2}$ pies? ¿Y en $12\frac{2}{3}$ pies?
    ¿Y en $9\frac{3}{4}$ pies?

Graded Work in Arithmetic: Third Year por S.W. Baird, 1897.

1. _____ _____

2. _____ _____
    _____

3. _____ _____

4. _____ _____
    _____

5. _____
    _____ _____

6. _____ _____
    _____

Explorar el volumen de cajas

Nota a la familia

Para explorar el concepto de volumen, la clase construyó cajas abiertas con patrones como los de este Vínculo con el hogar, y luego llenó las cajas de cubos de un centímetro. Su hijo o hija debería calcular el volumen de las cajas que construya en este Vínculo con el hogar, imaginando que están llenas de cubos. Luego, pídale que compruebe los resultados virtiendo una sustancia de una caja a otra, tal como se describe.

Por favor, devuelva este Vínculo con el hogar a la escuela mañana.

1. Recorta los patrones. Pega cada patrón con pegamento o cinta adhesiva, para formar una caja abierta. Encuentra 2 cajas que tengan el mismo volumen.

2. ¿Cómo hallaste la respuesta?

_____

_____

_____

_____

_____

_____

_____

3. Comprueba tu respuesta vertiendo arroz, frijoles o arena dentro de una de las cajas. Llena la caja hasta arriba y nivélala con el borde de una tarjeta o con una regla. Luego, viértelo en otra caja. Explica qué pasa si las cajas tienen el mismo volumen.

_____

_____

Explorar el volumen de cajas, *cont.*

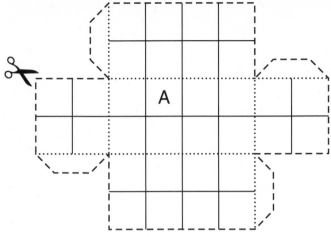

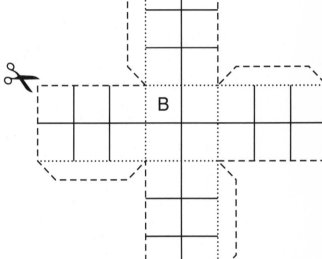

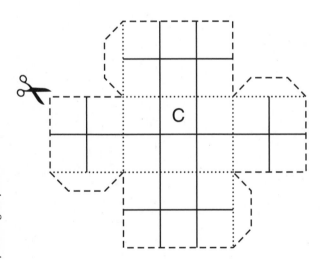

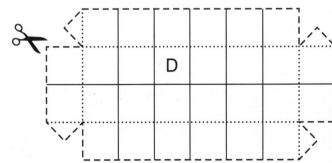

Volumen de los prismas rectangulares
Vínculo con el hogar 10.3

Nota a la familia

Nuestra clase sigue usando cubos de un centímetro y otros bloques de base 10, para explorar el volumen de los prismas rectangulares. Resulta útil pensar en el volumen como si se tratara de cierto número de capas de cubos, donde cada capa tiene el mismo número de cubos.

Por favor, devuelva este Vínculo con el hogar a la escuela mañana.

Pepe construyó un prisma rectangular con bloques de base 10.

1. Primero, usó 25 cubos de un centímetro para hacer la base.
Puso 3 capas más de cubos sobre la primera capa.
¿Cuál es el volumen del prisma que construyó? _____ cm cúbicos

2. Luego, usó 48 cubos de un centímetro para hacer otro
prisma. Lo hizo con 6 capas de cubos. ¿Cuánto
mide el área de la base del prisma? _____ cm cuadrados

3. Para el siguiente prisma, usó un plano para la base.
Puso 3 planos más sobre la base. ¿Cuánto mide
el área de la base? _____ cm cuadrados

¿Cuál es el volumen del prisma? _____ cm cúbicos

4. Para el último prisma, usó 4 largos y 12 cubos de un centímetro
para la base. Haz un dibujo de la base en la cuadrícula
de abajo. ¿Cuánto mide el área de la base? _____ cm cuadrados

5. Añadió 4 capas más de bloques de base 10
sobre la base. ¿Cuál es el volumen del prisma? _____ cm cúbicos

© 2002 Everyday Learning Corporation

Básculas y balanzas

Nota a la familia

Ayude a su hijo o hija a usar diferentes tipos de básculas o balanzas, como la báscula del baño o una balanza de cocina, para pesar objetos. Hallen los pesos en unidades tradicionales de EE.UU. (como onzas y libras) o en unidades métricas (como gramos y kilogramos), o en ambos sistemas.

Por favor, devuelva este Vínculo con el hogar a la escuela mañana.

Pide a alguien de tu casa que te deje usar una o más básculas o balanzas. Pesa cosas distintas y anota sus pesos en la tabla. De ser posible, pésalas tanto en unidades tradicionales de EE.UU. como en unidades métricas. No te olvides de incluir la unidad para cada peso.

Si sólo tienes una báscula de baño, puedes estimar el peso de objetos ligeros. Primero, pésate sosteniendo el objeto. Luego, vuélvete a pesar *sin* sostenerlo. Luego, halla la diferencia entre los dos pesos.

Objeto	Sistema tradicional de EE.UU.	Sistema métrico

Recopilar etiquetas de envases de alimentos

Nota a la familia

Hoy la clase midió el peso y el volumen de varios objetos. Tratamos de decidir si el objeto que pesa más tiene mayor volumen. Pregunte a su hijo o hija: "¿Qué ocupa más espacio, una libra de palomitas de maíz o una libra de canicas?".

Por favor, devuelva este Vínculo con el hogar a la escuela mañana.

A. Pide a alguien de tu casa que te ayude a encontrar envases de alimentos que incluyan información sobre nutrición. Por ejemplo: puedes buscar productos enlatados, cajas de cereal, bolsas de galletas o botellas de aceite. Trae las etiquetas o los envases vacíos a la escuela. Asegúrate de que estén limpios.

B. Juega a *Supera la multiplicación* con uno o dos miembros de tu familia.

Instrucciones

1. Quita las cartas con caras de una baraja de cartas normal. Los ases serán las cartas del 1.

2. Baraja las cartas. Colócalas boca abajo en la mesa.

3. Cada jugador le da la vuelta a dos cartas y dice el producto de los dos números en voz alta. El jugador con el producto más alto gana la ronda y se queda con todas las cartas.

4. En caso de empate, cada jugador le da la vuelta a dos cartas más y dice el producto en voz alta. El jugador con el producto más alto se queda con todas las cartas de ambas jugadas.

5. La partida acaba cuando no quedan suficientes cartas para que los dos jugadores puedan voltear dos cartas. El jugador con más cartas gana la partida.

Ejemplo Ann le da la vuelta a un 6 y un 2. Dice 12 en voz alta.
Joe le da la vuelta a un 10 y un 4. Dice 40 en voz alta.
Joe tiene el producto más alto. Se queda con las 4 cartas.

Emparejar unidades de medida

Nota a la familia

Hoy la clase estudió las unidades de capacidad: tazas, pintas, cuartos de galón, galones, mililitros y litros. Para la lista de abajo, su hijo o hija debería elegir una unidad apropiada para medir cada artículo. Algunos artículos se refieren a capacidad, pero también se incluyen unidades de longitud, peso, área y volumen. No espere que su hijo o hija sepa todas las unidades. Recuérdele que *unidades cuadradas* se refiere a medidas del área y *unidades cúbicas* a medidas del volumen.

Por favor, devuelva este Vínculo con el hogar a la escuela mañana.

Rellena el óvalo para indicar la unidad que usarías para medir cada objeto.

Objeto	Unidades		
1. altura de una silla	○ metro	○ pulgada	○ libra
2. peso de una moneda	○ libra	○ pulgada	○ gramo
3. área de un campo de fútbol	○ pulgada cuadrada	○ yarda cuadrada	○ metro cúbico
4. perímetro de tu diario	○ kilómetro	○ galón	○ centímetro
5. diámetro de un plato	○ pie	○ centímetro cúbico	○ pulgada
6. cantidad de jugo en el cartón	○ metro	○ cuarto de galón	○ litro cuadrado

7. Aproximadamente, ¿cuánta agua podrías beber en un día?

   ○ 1 taza   ○ 1 mililitro   ○ 1 litro   ○ 1 galón

Destácate

8. Aproximadamente, ¿cuánto tardarías en recorrer una milla caminando? Luego, explica.

   ○ 5 minutos   ○ 5 segundos   ○ 20 minutos   ○ 1 día

_____

La media (o promedio) del número de peces

Nota a la familia

Muchos de nosotros aprendimos que, para hallar la media (o promedio) de una serie de datos, sumamos todos los números y luego dividimos el total entre los números que sumamos. En la lección de hoy, la clase probó un método diferente para hallar la media. Cuando su hijo o hija haya completado esta página, pídale que le explique cómo funciona dicho método. En la próxima lección, presentaremos cómo hallar la media sumando los números y dividiendo para hallar la respuesta.

Por favor, devuelva este Vínculo con el hogar a la escuela mañana.

La tabla siguiente muestra cuántos peces ganaron los niños en la feria de la escuela.

Nombre	Número de peces
Reba	3
Bill	1
Lucy	7
Meg	0
Nate	5
Pat	2

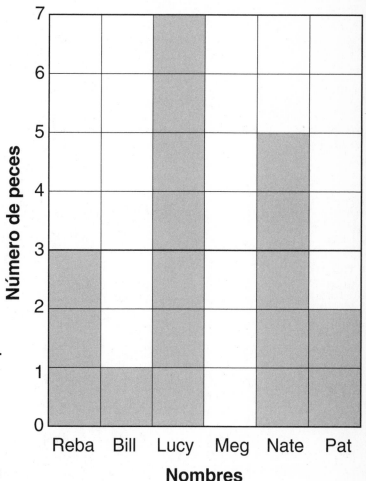

1. Pon una moneda de un centavo encima de cada cuadrado sombreado de la gráfica de barras.

2. Cambia las monedas de sitio de forma que cada columna tenga el mismo número de monedas.

3. Traza una línea horizontal a través de la gráfica para marcar la altura de las monedas cuando todas las columnas están a la misma altura.

4. El número medio (o promedio) de peces que ganaron los niños en la feria es _____.

Hallar la media

Nota a la familia

La mediana y la media (o promedio) indican valores "típicos" en una serie de datos. La mediana es el valor que queda en el medio cuando los números se ponen en orden. La media (o promedio) se halla con el proceso descrito a continuación. Su hijo o hija puede usar la calculadora para resolver los problemas. (En tercer grado, ignoramos cualquier dígito situado a la derecha del lugar de las décimas.)

Por favor, devuelva este Vínculo con el hogar a la escuela mañana.

Para hallar la media (o promedio):	**Ejemplo**
1. Halla la suma de los números.	**Resultados de baloncesto:** 80, 85, 76
2. Cuenta los números.	**1.** 80 + 85 + 76 = 241
3. Divide la suma entre la cantidad de números.	**2.** Hay 3 resultados.
4. No incluyas los dígitos después de las décimas.	**3.** 241 ÷ 3 = 80.333333...
	4. Media: 80.3

Jugadores de béisbol con más jonrones		
1994	Matt Williams	43
1995	Albert Belle	50
1996	Mark McGwire	52
1997	Mark McGwire	58
1998	Mark McGwire	70
1999	Mark McGwire	65

1. Número medio de jonrones: _____

Jugadores de béisbol con más jonrones		
1901	Sam Crawford	16
1902	Socks Seybold	16
1903	Buck Freeman	13
1904	Harry Davis	10
1905	Fred Odwell	9

2. Número medio de jonrones: _____

Fuente: World Almanac, 1999

3. Haz una lista de datos sobre los miembros de tu familia, como por ejemplo: sus edades, número de zapato o estatura. Halla la mediana y la media de los datos.

Tipo de datos _____

Datos _____

Mediana: _____   Media: _____

Triángulos de operaciones

Nota a la familia

En la lección de hoy, hemos aprendido a usar las teclas de memoria de la calculadora. Si tiene una calculadora, pídale a su hijo o hija que le muestre cómo almacenar un número en la memoria de la calculadora. Si su calculadora es distinta de las que usamos en clase, quizá tenga que ayudar a su hijo o hija a usarla.

Por favor, devuelva este Vínculo con el hogar a la escuela mañana.

Escribe el número que falta en cada Triángulo de operaciones. Luego, escribe las familias de operaciones de los tres números de cada Triángulo de operaciones.

1.

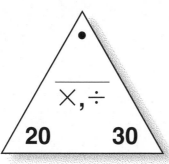

_____

_____

_____

2.

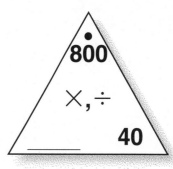

_____

_____

_____

3.

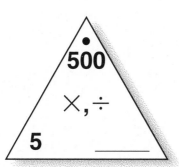

_____

_____

4.

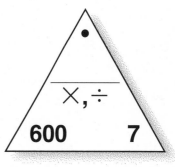

_____

_____

Tabla de frecuencia

Vínculo con el hogar 10.10

Nota a la familia

Hoy aprendimos a organizar datos en una tabla de frecuencia. Para este Vínculo con el hogar, ayude a su hijo o hija a contar el número de enchufes en 8 habitaciones, como mínimo. Preferiblemente, todas las habitaciones deberían estar en el mismo tipo de edificio. Por ejemplo: habitaciones de una casa o un apartamento; habitaciones de la biblioteca; o habitaciones de la escuela.

Por favor, devuelva este Vínculo con el hogar a la escuela mañana.

1. Haz una tabla de frecuencia del número de enchufes que hay en 8 habitaciones diferentes como mínimo.

Número de enchufes

Habitación	Frecuencia	
	Marcas	Número

2. ¿Cuál es la *mediana* (en medio) del número de enchufes? _____

3. ¿Cuál es la *media* (o promedio) del número de enchufes? (Puedes usar la calculadora para calcular la respuesta. No incluyas los números situados a la derecha del lugar de las décimas.) _____

4. ¿Cuál es la *moda* de los datos de la tabla? (*Recordatorio:* La moda es el número que se repite con más frecuencia en una serie de datos.) _____

Localizar puntos en un mapa

Nota a la familia

En un par ordenado, como (3,6) el primer número indica la distancia del punto a la derecha (o a la izquierda) de 0. El segundo número indica la distancia por encima (o debajo) de 0.

Por favor, devuelva este Vínculo con el hogar a la escuela mañana.

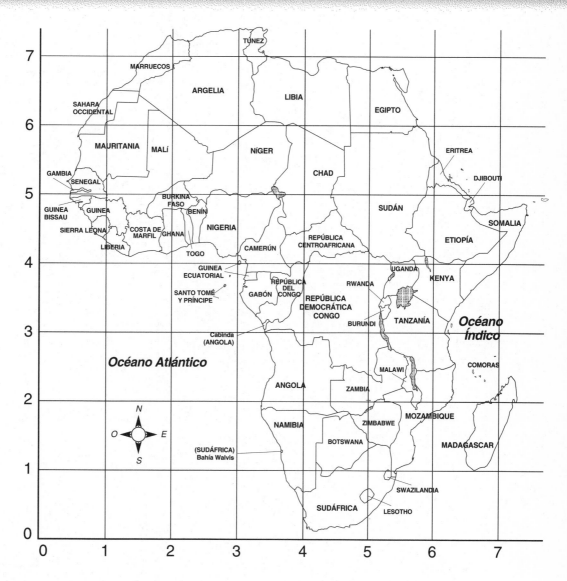

Éste es un mapa de África. Escribe el nombre del país donde se encuentra cada punto.

1. (3,6) _____   **2.** (4,3) _____   **3.** (5,5) _____

4. (4,5) _____   **5.** (5,6) _____   **6.** (4,6) _____

Carta a la familia

Unidad 11: Probabilidad; Repaso de fin de año

La Unidad 11, la última unidad del año, contiene actividades informales relacionadas con posibilidad y probabilidad.

Para algunas de estas actividades, los niños tienen que comparar la probabilidad de varios resultados posibles de un suceso: es más probable que ocurra una cosa que otra cosa diferente. Por ejemplo: los niños deberán averiguar cuál de los bloques geométricos es más probable que caiga sobre una arista cuando se lanza al aire.

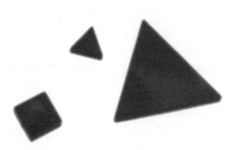

En otras actividades, se pide a los niños que estimen la posibilidad de que ocurra un suceso. Por ejemplo: cuando se lanza una moneda al aire, la posibilidad de que salga cara es 1 de 2.

Más adelante en esta unidad, los niños tendrán la oportunidad de terminar los proyectos de recopilación de datos sobre la duración de los días y las variaciones de la temperatura, que han desarrollado a lo largo del año. Buscarán tendencias y patrones en los datos y sacarán conclusiones.

Por favor, guarde esta Carta a la familia como referencia mientras su hijo o hija trabaja en la Unidad 11.

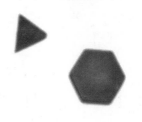

Vocabulario

Términos importantes de la Unidad 11:

igualmente probable Cada resultado tiene la misma posibilidad de ocurrir. Por ejemplo: los resultados posibles de lanzar una moneda al aire (CARA O CRUZ) son igualmente probables.

selección al azar Cada artículo que se saca tiene la misma posibilidad de ser seleccionado. Por ejemplo: los niños sacarán bloques de una bolsa y se darán cuenta de que cada bloque tiene la misma posibilidad de ser seleccionado.

solsticio de invierno El día más corto del año: el primer día de invierno en el hemisferio norte. El solsticio de invierno ocurre el día o alrededor del día 21 de diciembre.

solsticio de verano El día más largo del año: el primer día de verano en el hemisferio norte. El solsticio de verano ocurre el día o alrededor del día 21 de junio.

Actividades para hacer en cualquier ocasión

Para trabajar con su hijo o hija sobre los conceptos aprendidos en esta unidad y en las anteriores, hagan juntos estas interesantes y provechosas actividades:

1 Cuando vaya en auto o a pie con su hijo o hija, busquen figuras geométricas. Identifíquenlas por su nombre, si es posible, y hablen sobre sus características. Por ejemplo: una señal de "stop" (alto) es un octágono, que tiene 8 lados y 8 ángulos. Un ladrillo es un prisma rectangular, cuyas caras son todas rectángulos.

2 Dibujen cajas de coleccionar nombres para varios números, y escriban juntos de cinco a diez nombres equivalentes en cada caja. Incluyan cajas de coleccionar nombres para fracciones y decimales. Por ejemplo: una caja de coleccionar nombres para $\frac{1}{2}$ podría incluir $\frac{2}{4}$, $\frac{10}{20}$, 0.5, 0.50, $\frac{500}{1,000}$, etcétera. Luego, creen cajas de coleccionar nombres que incluyan medidas equivalentes. Por ejemplo: una caja de coleccionar nombres de 1 pie podría contener 12 pulgadas, $\frac{1}{3}$ de yarda, $\frac{1}{5,280}$ de milla, $\frac{12}{36}$ de yarda, etc.

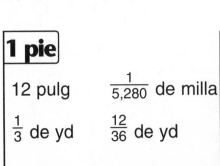

Desarrollar destrezas por medio de juegos

En la Unidad 11, su hijo o hija practicará destrezas relacionadas con posibilidad y probabilidad, a través de los siguientes juegos. Para instrucciones más detalladas, vea el *Libro de consulta del estudiante.*

El juego de los bloques de colores

Sin dejar que los jugadores vean los bloques, el "Director" pone cinco bloques en una bolsa de papel y les dice a los jugadores cuántos bloques hay en la bolsa. Un jugador saca un bloque de la bolsa. El "Director" toma nota del color y deja que todos lo vean. El jugador vuelve a poner el bloque en la bolsa. En cualquier momento, cualquier jugador puede gritar "¡ALTO!" y adivinar cuántos bloques de cada color hay en la bolsa.

Gira y gana

Cada jugador elige una sección de la rueda giratoria: 1, 2, 5 ó 10. Los jugadores se turnan haciendo girar la flecha. Si la flecha señala el número de un jugador, ese jugador se lleva ese número de *pennies.*
El jugador con la mayor cantidad de monedas después de 12 giros, gana la partida.

Ganas 1   Ganas 5

Ganas 10   Ganas 2

Cuando ayude a su hijo o hija a hacer la tarea

Cuando su hijo o hija traiga tarea a casa, lean juntos y clarifiquen las instrucciones. Las respuestas siguientes le servirán de guía para usar los Vínculos con el hogar de esta unidad.

Vínculo con el hogar 11.1

1. pasará seguro

2. seguro que no pasará

3. puede pasar, pero no es seguro

4. puede pasar, pero no es seguro

5. puede pasar, pero no es seguro

Vínculo con el hogar 11.6

1. 0   **2.** 3   **3.** 6   **4.** 1

5. Respuesta posible: en el problema 3, $\frac{1}{4}$ de los bloques son azules; en el problema 4, $\frac{1}{4}$ de los bloques son rojos.

Vínculo con el hogar 11.7

1. 34 veces   **2.** 57 veces

3. 28 veces   **4.** 18 veces

Vínculo con el hogar 11.8

1. 13,841   **2.** 1,863   **3.** 2,075

4. 3,092   **5.** 6,865   **6.** 2,250

7. 2,709   **8.** 28,640   **9.** 7,200

Vínculo con el hogar 11.9

Números	Suma	Resta	Multiplica	Divide
22 y 7	22 + 7 = 29	22 − 7 = 15	22 × 7 = 154	22 ÷ 7 → 3 R1
46 y 6	46 + 6 = 52	46 − 6= 40	46 × 6 = 276	46 ÷ 6 → 7 R4
52 y 5	52 + 5 = 57	52 − 5 = 47	52 × 5 = 260	52 ÷ 5 → 10 R2
150 y 3	150 + 3 = 153	150 − 3 = 147	150 × 3 = 450	150 ÷ 3 = 50
560 y 80	560 + 80 = 640	560 − 80 = 480	560 × 80 = 44,800	560 ÷ 80 = 7
3,000 y 50	3,000 + 50 = 3,050	3,000 − 50 = 2,950	3,000 × 50 = 150,000	3,000 ÷ 50 = 60
12,000 y 60	12,000 + 60 = 12,060	12,000 − 60 = 11,940	12,000 × 60 = 720,000	12,000 ÷ 60 = 200

Usar con la lección 10.12

Sucesos probables e improbables

Nota a la familia

Durante las próximas dos semanas, por favor ayude a su hijo o hija a buscar y recortar artículos de periódicos y revistas que comenten sucesos que quizás vayan o no vayan a ocurrir. Pídale que traiga los artículos a la escuela para compartirlos con la clase.

Por favor, devuelva este Vínculo con el hogar a la escuela mañana.

Durante las próximas dos semanas, busca artículos en periódicos y revistas que hablen sobre sucesos que quizás vayan o no vayan a ocurrir. Pide permiso para recortarlos y traerlos a la escuela. Puedes buscar artículos como:

- la previsión del tiempo (¿Qué posibilidad hay de que llueva mañana?)
- la página de deportes (¿Qué equipo es el favorito para ganar el partido de béisbol?)
- una noticia (¿Qué posibilidad hay de que se exploren planetas lejanos durante los próximos 20 años?)
- un informe sobre salud (¿Es más probable te resfríes durante el invierno que durante el verano?)

Di si cada uno de los siguientes sucesos "sin duda pasará", "sin duda no pasará" o "puede pasar, pero tienes dudas". Encierra la respuesta en un círculo.

1. Aumentarás de estatura el año que viene.

sin duda pasará   sin duda no pasará   puede pasar, pero tienes dudas

2. Vivirás hasta los 200 años.

sin duda pasará   sin duda no pasará   puede pasar, pero tienes dudas

3. Recibirás una carta mañana.

sin duda pasará   sin duda no pasará   puede pasar, pero tienes dudas

4. Verás la televisión el próximo sábado.

sin duda pasará   sin duda no pasará   puede pasar, pero tienes dudas

5. Viajarás a la Luna.

sin duda pasará   sin duda no pasará   puede pasar, pero tienes dudas

Una encuesta

Nota a la familia

Su hijo o hija tiene que encuestar a 10 personas (miembros de la familia, vecinos, amigos de fuera de la escuela) para averiguar cuántos son diestros y cuántos son zurdos. No cuente a los que afirmen ser ambidextros (las personas que pueden usar las dos manos con igual facilidad). Dedique unos días a ayudar a su hijo o hija a completar la encuesta. Los resultados no se necesitan hasta la lección 11.7.

1. Pregunta a 10 personas si son diestros o zurdos. No preguntes a gente de la escuela. No cuentes a las personas que digan que no son ni diestros ni zurdos. (Las personas que no prefieren una de las dos manos se llaman *ambidextras*.)

2. En la tabla de abajo, pon una marca de conteo por cada persona. Asegúrate de tener exactamente 10 marcas.

3. Cuando hayas terminado la encuesta, anota los resultados en la parte inferior de la página. Trae los resultados a la escuela.

	Marcas de conteo
Diestros	
Zurdos	

✂ -

Nombre _____

Resultados de la encuesta

Número de personas diestras: _____

Número de personas zurdas: _____

Total: 10

¿Juego limpio?

Nota a la familia

La clase está explorando la probabilidad. Juegue a *Piedra, papel o tijeras* con su hijo o hija. Después de 20 rondas, pídale que decida si se trata de un juego limpio y que le explique por qué sí o por qué no. (Un juego es "limpio" si todos los jugadores tienen las mismas posibilidades de ganar o perder.)

Por favor, devuelva este Vínculo con el hogar a la escuela mañana.

Juega a *Piedra, papel o tijeras* con alguien de tu casa. Juega por lo menos 20 rondas. Lleva la cuenta de quién gana y quién pierde.

Reglas de *Piedra, papel o tijeras*

Se trata de un juego para dos jugadores. Los jugadores usan las manos para representar unas tijeras, un trozo de papel o una piedra, tal como se muestra.

tijeras   **papel**   **piedra**

Cada jugador esconde una mano detrás de la espalda y la pone en posición de piedra, papel o tijeras.

Un jugador cuenta: "Uno, dos tres". A la de "tres", los dos jugadores enseñan la mano.

Quién gana:

- Las tijeras cortan papel. (Si un jugador enseña tijeras y el otro enseña papel, ganan las tijeras.)

- El papel cubre la piedra. (Si un jugador enseña papel y el otro enseña piedra, gana el papel.)

- La piedra rompe las tijeras. (Si un jugador enseña piedra y el otro enseña tijeras, gana la piedra.)

- Si ambos jugadores enseñan el mismo objeto, nadie gana.

1. ¿Se trata de un juego limpio? (Limpio significa que cada jugador tiene las mismas posibilidades de ganar.) _____

2. En el reverso de esta hoja, explica por qué sí o por qué no.

Basado en las reglas de *Scissors, Paper, Stone* de *Family Fun and Games,* The Diagram Group, Sterling Publishing, 1992, pág. 364

Usar con la lección 11.3

¿Otro juego limpio?

Nota a la familia

Continuamos explorando la probabilidad. Juegue a *Dedos* con su hijo o hija. Después de 20 rondas, pídale que decida si es un juego limpio y que le explique por qué sí o por qué no. (Un juego es "limpio" si todos los jugadores tienen las mismas posibilidades de ganar o perder.)

Por favor, devuelva este Vínculo con el hogar a la escuela mañana.

Juega a *Dedos* 20 veces como mínimo. Lleva la cuenta de quién gana y quién pierde.

Reglas de *Dedos*

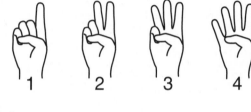

Se trata de un juego para dos jugadores. Un jugador trata de adivinar el número de dedos que el otro jugador va a "tirar" (mostrar).

Tú, el estudiante de *Matemáticas diarias,* puedes tirar 1, 2, 3 ó 4 dedos. El otro jugador sólo puede tirar 1 ó 2 dedos.

Los jugadores se ponen cara a cara. Cada uno pone el puño cerrado sobre el pecho.

Un jugador cuenta: "Uno, dos, tres". A la de "tres", cada jugador "tira" un número de dedos.

Al mismo tiempo, ambos jugadores dicen en voz alta el que creen que será el número total de dedos que ambos jugadores van a tirar.

- El jugador que dice el total correcto, gana.
- Si *ningún* jugador dice el total correcto, nadie gana.
- Si *ambos* jugadores dicen el total correcto, nadie gana.

1. ¿Se trata de un juego limpio? (Limpio significa que cada jugador tiene las mismas posibilidades de ganar.) _____

2. En el reverso de esta hoja, explica por qué sí o por qué no.

Adaptación de las reglas de *Mora* en *Family Fun and Games,* The Diagram Group, Sterling Publishing, 1992, pág. 365

Ruedas giratorias

Nota a la familia

Continuamos estudiando la probabilidad. Ayude a su hijo o hija a diseñar una rueda giratoria que cumpla las condiciones de la parte 1 de más abajo. Luego, ayude a su hijo o hija a diseñar otra rueda, dividiendo el círculo en partes y coloreando las partes.

Por favor, devuelva este Vínculo con el hogar a la escuela mañana.

Trabaja con alguien de tu casa para hacer dos ruedas giratorias.

1. Usa crayones o lápices de color azul, rojo, amarillo y verde en la primera rueda giratoria. Colorea la rueda de modo que sean ciertas las siguientes afirmaciones:

   Cuando se hace girar un clip alrededor de la punta de un lápiz situada en el centro del círculo, el clip

   • es muy probable que pare en rojo.

   • tiene la misma posibilidad de parar en amarillo que en verde.

   • podría parar en azul, pero es muy improbable que pare en azul.

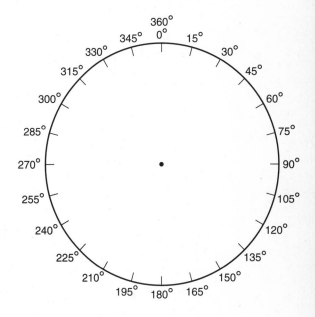

2. Diseña y colorea tu propia rueda giratoria. Luego, explica las probabilidades de que el clip pare en cada uno de los colores usados.

   _____

   _____

   _____

   _____

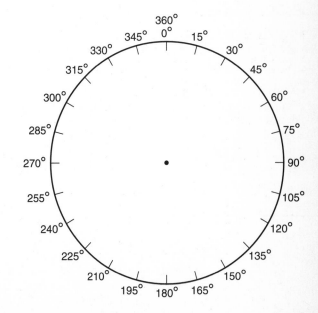

© 2002 Everyday Learning Corporation

Sacar bloques al azar

Nota a la familia

Pídale a su hijo o hija que le explique cómo decide cuántos bloques rojos debe meter en cada bolsa en los problemas siguientes. Si tiene tiempo, haga los experimentos con él o ella, y anoten los resultados en el reverso de esta hoja. Pídale a su hijo o hija que le explique cómo se hacen los experimentos.

Por favor, devuelva este Vínculo con el hogar a la escuela mañana.

Colorea de azul los bloques que están dentro de las bolsas.

Contesta cada pregunta acerca de cuántos bloques rojos hay que meter en la bolsa.

Ejemplo: Si quisiera sacar un bloque azul el doble de veces que un bloque rojo, metería 1 bloque rojo en la bolsa.

1. Si quisiera asegurarme de sacar un bloque azul, metería _____ bloque(s) rojo(s) en la bolsa.

2. Si quisiera tener la misma posibilidad de sacar un bloque rojo que un bloque azul, metería _____ bloque(s) rojo(s) en la bolsa.

3. Si quisiera sacar un bloque rojo el triple de veces que un bloque azul, metería _____ bloque(s) rojo(s) en la bolsa.

4. Si quisiera sacar un bloque rojo $\frac{1}{4}$ de las veces, metería _____ bloque(s) rojo(s) en la bolsa.

Destácate

5. ¿En qué se parecen los problemas 3 y 4?

_____

_____

Más problemas de selección al azar

Nota a la familia

Este Vínculo con el hogar se concentra en predecir el contenido de un tarro sacando canicas. No pretenda que su hijo o hija sea un experto o experta. El estudio de la probabilidad continuará hasta sexto grado. Éste es el primer contacto con este tema.

Por favor, devuelva este Vínculo con el hogar a la escuela mañana.

Cada problema trata sobre 10 canicas en un tarro. Las canicas son o negras o blancas, y se sacan del tarro al azar (sin mirar adentro). Se lleva la cuenta del tipo de canica que sale y luego se vuelve a poner en el tarro.

- Decide, a partir de la selección al azar, cuántas canicas hay de cada color.
- Sombrea las canicas del tarro para mostrar tu decisión.

Ejemplo: De 100 selecciones al azar, obtienes:

una canica negra   ●   81 veces
una canica blanca   ○   19 veces

1. De 100 selecciones al azar, obtienes:

una canica negra   ●   34 veces
una canica blanca   ○   66 veces

2. De 100 selecciones al azar, obtienes:

una canica negra   ●   57 veces
una canica blanca   ○   43 veces

3. De 50 selecciones al azar, obtienes:

una canica negra   ●   28 veces
una canica blanca   ○   22 veces

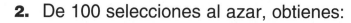

Destácate

4. De 25 selecciones al azar, obtienes:

una canica negra   ●   18 veces
una canica blanca   ○   7 veces

Cálculo con varios dígitos

Nota a la familia

Su hijo o hija no debería usar la calculadora para resolver estos problemas. Esto les proporcionará la oportunidad de ver qué destrezas de cálculo domina y cuáles requieren un repaso.

Por favor, devuelva este Vínculo con el hogar a la escuela mañana.

Para cada problema, muestra tu trabajo y encierra la respuesta en un círculo.

1.   8,359
  + 5,482
	2. 3,641
	  − 1,778
		3. 8,704
		  − 6,629

4.   12,550
  − 9,458
	5. 10,262
	  − 3,397
		6. 250
		  × 9

7.   387
  × 7
	8. 716
	  × 40
		9. 400
		  × 18

Resumen de cálculo

Nota a la familia

Por favor, observe a su hijo o hija sumar, restar, multiplicar y dividir estos pares de números enteros. Aunque la mayoría de la página se podría resolver por medio de cálculo mental, estimule a su hijo o hija para que use y explique sus estrategias favoritas.

Por favor, devuelva este Vínculo con el hogar a la escuela mañana.

Para cada par de números, realiza las operaciones indicadas en cada columna de la tabla. Muestra tu trabajo en el reverso de la página.

Números	Suma	Resta	Multiplica	Divide
22 y 7	22 + 7 = 29	22 − 7 = 15	22 × 7 = 154	22 ÷ 7 → 3 R1
46 y 6				
52 y 5				
150 y 3				
560 y 80				
3,000 y 50				
12,000 y 60				

Carta a la familia

¡Felicidades!

Al completar *Matemáticas diarias, Tercer grado*, su hijo o hija ha logrado una meta importante. ¡Muchas gracias por su apoyo!

Esta Carta a la familia la puede usar como fuente de consulta durante las vacaciones de su hijo o hija. Incluye una lista extensa de Actividades para hacer en cualquier ocasión, instrucciones de juegos que pueden realizar en casa, una lista de libros relacionados con las matemáticas que pueden sacar de la biblioteca durante las vacaciones y un avance de lo que su hijo o hija aprenderá en *Matemáticas diarias, Cuarto grado*. ¡Que disfruten de las vacaciones!

Actividades para hacer en cualquier ocasíon

Las matemáticas tienen más sentido cuando se relacionan con situaciones de la vida real. Para ayudar a su hijo o hija a repasar muchos de los conceptos aprendidos en tercer grado, sugerimos que hagan juntos las siguientes actividades durante las vacaciones. Estas actividades ayudarán a su hijo o hija a reforzar las destrezas que ha aprendido este año, y a prepararse para *Matemáticas diarias, Cuarto grado*.

1 Si recibe un periódico a diario, continúen el proyecto sobre la duración del día, registrando la hora de salida y puesta del sol una vez por semana. Saquen conclusiones sobre la duración del día durante los meses de vacaciones.

2 Durante un periodo de tiempo, pídale a su hijo o hija que lleve un registro de las temperaturas diarias por la mañana y al anochecer. Registren los resultados en forma de tabla o gráfica. Haga preguntas sobre los datos, como por ejemplo, para hallar la diferencia de temperatura de la mañana al anochecer o de un día con respecto al siguiente.

3 Cuando vayan en carro o salgan a pasear, busquen figuras geométricas e identifiquen su nombre y algunas de sus características. Por ejemplo: una señal de *stop* ("alto", en español) es un octágono, que tiene 8 lados y 8 ángulos; los conos anaranjados empleados en las obras de construcción son conos, con la base circular, una superficie curva y un vértice; un ladrillo es un prisma rectangular todas cuyas caras son rectángulos.

4 Continúen practicando las operaciones básicas de suma, resta, multiplicación y división. Concéntrense en las operaciones que le resulten difíciles a su hijo o hija. El uso de sesiones cortas con los Triángulos de operaciones, las familias de operaciones y los juegos ayuda a desarrollar los conocimientos previos de su hijo o hija.

5 Pídale a su hijo o hija que resuelva problemas de suma y resta con varios dígitos; sugiérale que escriba historias de números para los modelos numéricos.

Desarrollar destrezas por medio de juegos

Esta sección proporciona una lista de juegos que se pueden jugar en casa. Las tarjetas con números empleadas en algunos juegos se pueden hacer con tarjetas de 3" por 5".

Matrices de división

Materiales
- ❏ tarjetas de números del 6 al 18 (3 de cada)
- ❏ 18 fichas, como *pennies*
- ❏ 1 dado
- ❏ papel para notas para cada jugador

Jugadores   de 2 a 4

Instrucciones

Se barajan las tarjetas y se colocan boca abajo.

En cada turno, un jugador saca una tarjeta y toma el número de fichas que indique la tarjeta. Después, el jugador tira el dado. El número que muestra el dado especifica el número de filas iguales que ha de tener la matriz que va a hacer el jugador con las fichas.

La puntuación del jugador es el número de fichas por fila. Si no sobran fichas, la puntuación es el doble del número de fichas por fila.

Los jugadores se turnan, y llevan la cuenta de sus puntuaciones en una hoja de papel. El jugador con la puntuación más alta al cabo de 5 rondas gana la partida.

Tres sumandos

Materiales
- ❏ papel y lápiz (para cada jugador)
- ❏ tarjetas de números del 1 al 20 (1 de cada)

Jugadores   2

Instrucciones

Se barajan las tarjetas y se colocan boca abajo.

Los jugadores se turnan para tomar tres tarjetas de encima de la baraja. Los dos jugadores escriben modelos de suma en las hojas de papel (el número se puede escribir en el orden que les resulte más fácil para resolver el problema). Los jugadores resuelven el problema y luego comparan sus respuestas.

Opción: Para una versión más difícil, los jugadores se turnan para tomar cuatro tarjetas de encima de la baraja. Así, los jugadores resuelven problemas con cuatro sumandos.

Usar con la lección 11.10